A CORRIDA DA FÉ

A CORRIDA DA FÉ

Encontre em Deus graça
e força para perseverar

—

TRILLIA J. NEWBELL

Traduzido por Luciana Chagas

Os textos bíblicos foram extraídos da *Nova Versão Transformadora* (NVT), da Tyndale House Foundation, salvo as seguintes indicações: *Almeida Revista e Atualizada*, 2ª edição (RA), da Sociedade Bíblica do Brasil; e *Nova Versão Internacional* (NVI), da Biblica Internacional.

CIP-Brasil. Catalogação na publicação
Sindicato Nacional dos Editores de Livros, RJ

N436c

Newbell, Trillia J.
A corrida da fé : encontre em Deus graça e força para perseverar / Trillia J. Newbell ; tradução Luciana Chagas. - 1. ed. - São Paulo : Mundo Cristão, 2021.
208 p.

Tradução de: Sacred endurance : finding grace and strength for a lasting faith
ISBN 978-65-86027-98-3

1. Perseverança (Ética). 2. Vida cristã. I. Chagas, Luciana. II. Título.

21-70593 CDD: 248.4
CDU: 27-584

Categoria: Inspiração
1ª edição: agosto de 2021

Edição
Daniel Faria
Revisão
Natália Custódio
Produção e diagramação
Felipe Marques
Colaboração
Ana Luiza Ferreira
Capa
Douglas Lucas

Publicado no Brasil com todos os direitos reservados por:

Editora Mundo Cristão
Rua Antônio Carlos Tacconi, 69
São Paulo, SP, Brasil
CEP 04810-020
Telefone: (11) 2127-4147
www.mundocristao.com.br

Para Thern,
meu esposo, meu amigo,
meu companheiro de jornada
na corrida que foi posta diante de nós,
esperando em Jesus e fixando
os olhos nele — juntos.
O Senhor estará conosco até o fim
e, então, para todo o sempre.

Sumário

1
Chamados a correr

[...] prossigo para o final da corrida, a fim de receber o prêmio celestial para o qual Deus nos chama em Cristo Jesus.

FILIPENSES 3.14

Em 28 de agosto de 1963, Mahalia Jackson subiu ao palco e usou sua bela e comovente voz para encorajar mais de 250 mil homens e mulheres reunidos no Lincoln Memorial por ocasião da Marcha sobre Washington, evento em defesa dos direitos civis e econômicos dos afro-americanos.

Mahalia suportou diversas dificuldades enquanto esteve envolvida na causa dos direitos civis, cantando e oferecendo auxílio financeiro ao movimento. À medida que suas canções *gospel* foram ganhando cada vez mais popularidade, ela recebeu ameaças de morte de pessoas que viviam na pacata vizinhança onde morava, em Chicago. Naquele dia, no Lincoln Memorial, ela teve participação fundamental na criação do mais famoso discurso de Martin Luther King Jr., "Eu tenho um sonho". Reporta-se que Mahalia bradou detrás do púlpito: "Fale a eles sobre o sonho, Martin. Fale a eles sobre o sonho!". Tal apelo o levou a sacar suas anotações e a utilizar o refrão "Eu tenho um sonho".

O papel de Mahalia Jackson na história, papel que inclui a música *gospel* e o movimento pelos direitos civis mas não se limita a isso, é significativo, embora pouco conhecido. Ela se dedicou a viver o evangelho e a entoar louvores a Deus. Naquele dia, apresentou duas canções. A primeira, "How I Got Over" [Como sobrevivi], é uma canção de perseverança em meio à adversidade e descreve tempos difíceis que a própria cantora viveu. Como ela "sobreviveu"? Olhando para Jesus, aquele que sofreu e morreu em seu favor. Eis como Mahalia reconheceu, pela música, seu Salvador:

Quero agradecer a ele, pois me conduziu...
Oh, agradeço ao meu Deus, pois ele me sustentou.
Serei grata a ele, pois nunca me deixou.[1]

Depois de uma vida de provações terríveis e misericórdia excepcional, ela completou a corrida em janeiro de 1972, aos 60 anos.[2]

Correndo a corrida

Você também corre por sua vida. Isso pode causar surpresa a você que está aí sentado em uma poltrona confortável ou lendo este livro relaxadamente em uma cafeteria, mas é uma verdade. Trata-se de uma corrida que requer tudo de você, e não é nada fácil. Mahalia Jackson corria pela própria vida, e a música que cantou para aquela imensa multidão fez as pessoas pensarem que estavam, também, em uma corrida. Mahalia cantou admirando-se da própria sobrevivência durante todos aqueles anos de lutas e reveses. Então, ela explicou o que aconteceu, e essa mesma explicação fará com que você e eu sobrevivamos.

Pode ser que você não enfrente conflitos segregacionistas nem ameaças de linchamento, mas também terá de perseverar.

Existirão lutas no caminho. De fato, é bem possível que elas já existam.

Uma das maiores mentiras acerca da fé cristã é a de que se trata de algo fácil. Entretanto, Deus não nos promete isso. Ele nunca disse que não haveria problemas. As coisas ameaçam nos derrubar durante a corrida: alguém que amamos desonra o leito conjugal e se une a outra pessoa; Deus parece fazer prosperar aqueles que agiram mal conosco. As dúvidas povoam nossa mente, e nos perguntamos se a Palavra de Deus é real. Será que Deus fala a sério? Quando a vida parece embotada e coisas para além de Deus parecem trazer, mesmo que momentaneamente, mais alegria e satisfação, surpreendemo-nos em falta quanto à frequência na igreja, quanto mais à prática de pensar em Deus.

Você e eu estamos numa corrida.

Nos anos mais recentes, vi casais amigos meus se separarem. Falei com pais e mães cujo filho adolescente deixou de crer em Deus. Vi igrejas quase se dividindo e acompanhei o rompimento de relações.

E há, ainda, os altos e baixos da vida cotidiana. Às vezes, a corrida parece quase não demandar esforço, como se pudéssemos seguir indefinidamente com um vento de cauda que nos move para a frente. Mas, outras vezes, movemo-nos com dificuldade ou mesmo somos incapazes de dar o próximo passo.

No contexto do meu país, é fácil sentir-se confortável acerca da própria fé. Podemos ser culturalmente bons, mas espiritualmente mortos. Contudo, há uma razão para o fato de a Bíblia muitas vezes referir-se à vida cristã como sendo uma corrida. Há muita coisa em jogo, e chegar ao final requer mais confiança e empenho do que gostaríamos de admitir. Nossa integridade, nosso testemunho e até nossa própria vida estão em disputa.

Então, há a graça, disponível a cada passo que damos, a cada ato de fé, a cada decisão pela obediência. Tudo o que fazemos é coberto pela graça de Deus e escorado nela. Felizmente, o prêmio que ganhamos ao final dessa corrida é mais que digno da perseverança que ela demanda.

Quero compartilhar uma história com você, um relato sobre uma corrida de que participei. É possível que você tenha algum tipo de recordação parecido, relacionado a dedicação atlética ou batalha mental. Isso pode fazê-lo lembrar em que consistem a vida e a fé e como é descobrir o que significa correr de modo a glorificar a Deus.

Foi a corrida de uma vida toda — ao menos foi assim que pareceu à jovem de 17 anos responsável pelo último trecho da corrida de revezamento 4 × 400 sediada no maior ginásio do estado onde morava. Eu era a última corredora, ou seja, o revezamento terminava em mim. Minha atuação coroaria os esforços das minhas colegas de equipe e, então, o resultado seria divulgado assim que eu cruzasse a linha de chegada. Quando chegou a minha vez, a impressão que tive era a de carregar o mundo nas costas. Será que eu conseguiria manter o ritmo impecável ao atravessar a raia, sem que meu corpo sucumbisse? Eu havia treinado inúmeras vezes e sabia como cuidar do meu ritmo, mas, uma vez que minha equipe estava em primeiro lugar (liderando um dos times mais rápidos de todo o estado), a adrenalina e o nervosismo tomaram conta de mim.

Enquanto esperava minha colega completar a volta dela, o sol batia em cheio sobre minha cabeça, a ponto de fazer pingar suor de meu queixo. Essa terceira corredora fez a última curva e despontou na reta em que me passaria o bastão. Quando estávamos a meros vinte metros de distância uma da outra, comecei a correr, controlando o passo até que nos aproximássemos, eu pegasse o bastão e assumisse meu turno na corrida, como havíamos treinado incontáveis vezes. Bastão na mão, agora meu cérebro gritava um recado bastante simples: corra!

Arranquei, acelerando o mais rápido que conseguia. Minhas pernas começaram a se mover a uma velocidade jamais experimentada antes. Ao dobrar a primeira curva, eu ainda tinha muita energia para gastar. Aprumei o corpo sentindo-me forte e, então, concluí bem a última curva. Porém, quando restavam apenas cem metros, algo aconteceu: minhas pernas começaram a vacilar, e minha habilidade de tirar os pés do chão e descê-los de volta diminuiu enormemente.

Senti como se estivesse correndo na lama. A cada passo, um esforço absurdo. Podia me perceber cada vez mais vagarosa — comparando com o modo como comecei, era como se agora estivesse em câmera lenta —, mas não desisti. A multidão estava em pé, gritando e apontando em minha direção. Mantive uma boa liderança nos trezentos primeiros metros, mas agora havia outra corredora em meu encalço, quase me alcançando. A cada passo que me aproximava da linha de chegada, eu experimentava grande alívio e grande dor.

Faltava tão pouco... será que eu conseguiria chegar ao final? Eu podia até mesmo sentir o gostinho daquilo. Podia vislumbrá-lo. Será que eu conquistaria o prêmio almejado pela minha equipe?

Sim! Cruzei a linha de chegada e desabei. Embora eu estivesse exausta, éramos campeãs estaduais. Ainda hoje, quando me lembro dessa corrida, perco o fôlego e não consigo deixar de esboçar um sorriso. Nem acredito que a concluí. Se soubesse o que me esperava, não sei se teria começado a prova.

Mas a pressão excruciante dos últimos cem metros foi compensada pela alegria de ver minha equipe sendo campeã.

A provisão de Deus durante a corrida

De modo semelhante, somos chamados a uma corrida espiritual, uma corrida sagrada, e Deus suprirá tudo de que necessitarmos para corrê-la. A "corrida que foi posta diante de nós" é a vida cristã (Hb 12.1-2). Mais especificamente, é a esperança que depositamos em Jesus enquanto nos agarramos à nossa confissão, confiando naquele que é fiel (6.18; 10.23). Nossa esperança é chegar ao fim de nossos dias dizendo: "Lutei o bom combate, terminei a corrida e permaneci fiel" (2Tm 4.7). Esse é o nosso objetivo final, a nossa linha de chegada. E ansiamos pelo prêmio que receberemos ao final dessa grande corrida.

Assim como aquela prova de que participei, a vida cristã é uma corrida que terá seu fim. Um dia, viveremos em plena glória na companhia de Cristo. Receberemos um prêmio quando a corrida terminar. Mas, até lá, devemos aprender como correr, resistir, perseverar e alcançar a linha de chegada.

A corrida da fé não é fácil; ela demanda empenho — por vezes, um esforço significativo, do tipo complete-os-últimos--cem-metros. Há muita alegria, mas também pode haver dor. É possível que cheguemos a cair e, certamente, haverá conflitos, pelo que, em alguns momentos, desistir é algo tentador. Por isso, precisamos aprender a condicionar mente, alma e corpo para a corrida que nos foi proposta.

As Escrituras são repletas de histórias de santos que resistiram até o fim, ainda que tropeçassem pelo caminho. Ora tropeçavam por causa de seu próprio pecado, ora eram sacudidos pelas provações da vida. Minha mente sempre se volta para o apóstolo Paulo, que suportou prisões, espancamentos, zombarias e traição, tudo isso por Jesus. O que o motivou a continuar correndo? Talvez tenha sido o prêmio. Como vemos em Filipenses 3.14, ele também continuou porque havia sido chamado à corrida e entendeu essa convocação.

Antes de analisar esse texto, vamos dar uma olhada no que dizem as Escrituras antes dele. Paulo estava alertando a igreja em Filipos a vigiar quanto àqueles que atribuíam às obras da lei o crescimento em santidade e depositavam neles mesmos sua confiança e segurança. Em oposição, você e eu não devemos colocar "nenhuma confiança nos esforços humanos" (Fp 3.13). O apóstolo, então, expõe que ele mesmo poderia ter confiado na carne, se assim desejasse, visto que seu histórico de fariseu e perseguidor da igreja era considerado honroso no primeiro século (Fp 3.4-7). Contudo, ele relata ter reputado tudo isso como lixo; era tudo uma porcaria quando comparado com o que ganhara ao conhecer a Cristo e nele ser encontrado (Fp 3.8-10). Paulo faria qualquer coisa para se tornar como seu Salvador e obter o prêmio de viver com Cristo por toda a eternidade (Fp 3.11).

O apóstolo ainda não havia alcançado seu grande galardão, mas, enquanto esperava por isso, mostrava-se disposto a sofrer, a negar a si mesmo e a morrer pelo nome de Jesus. Havia um motivo. Paulo tinha clareza quanto ao alvo, e também tinha visão. Sabia que o caminho para aquele alvo era cheio de obstáculos, mas valia a pena. Paulo prosseguiu em direção à sua meta "a fim de receber o prêmio celestial para o qual Deus nos chama em Cristo Jesus" (Fp 3.14).

Nas próximas páginas, você e eu refletiremos bastante sobre a corrida e sobre como terminá-la. E é bom que tenhamos em mente que somos chamados a correr. Quando meu técnico me convidou para correr naquela competição, aquilo mudou minha condição de atleta individual. Eu já não representava a mim mesma, mas a escola e a equipe de que fazia parte. Era algo maior que eu. Da mesma forma, Deus, em sua misericórdia e bondade, nos chamou para algo que supera qualquer outra convocação terrena: temos um "chamado celestial" (Hb 3.1). Saber que não estamos à nossa própria mercê e que fomos convocados por um Deus gracioso, que nos auxilia na corrida — não como seus filhos, mas como seus embaixadores —, ajuda-nos a correr com perseverança.

Se tivesse encarado tudo como uma questão pessoal enquanto terminava aquela prova de 4 × 400, eu teria desistido. Porém, saber que não se tratava apenas de mim me ajudou a avançar em meio à dor. De igual modo, a corrida da fé de que estou participando não diz respeito apenas a mim — diz respeito a Jesus. Trazer à memória que Jesus é o autor e o consumador da minha fé, saber que sou embaixatriz do Deus vivo e lembrar que receberei ainda mais dele são coisas que me mantêm devidamente concentrada na corrida. Você e eu fomos chamados a correr, mas isso não tem a ver com nenhum de nós. Tem a ver com quem nos chamou.

Uma convocação nada fácil

Gosto muitíssimo de me manter saudável e me dedicar ao atletismo. Passei a maior parte da vida fazendo algum tipo de esporte ou ensinando às pessoas sobre atividade física. Quando me tornei adulta, não via o preparo físico apenas como um *hobby*; definitivamente, eu encarava aquilo como uma carreira. Dei aulas em academias, treinei preparadores físicos e cheguei a ser proprietária de um pequeno estúdio de ginástica.

Embora eu já não me dedique profissionalmente ao esporte, ele continua sendo uma parte importante de quem eu sou.

Aprendi que preparo físico demanda tempo, esforço e paciência; às vezes, agonizamos decepcionados; e precisamos ter muita, mas muita perseverança. Ninguém se levanta da cama, decide correr uma maratona e conclui a prova na noite daquele mesmo dia. É preciso passar meses treinando o corpo e a mente, suportando exercícios difíceis, enfrentando fracassos e vivendo uma rotina diária adequada. Ainda assim, até que se cruze a linha de chegada, pode haver um longo processo. E algumas pessoas desistem.

É a isso que se assemelha a corrida cristã. Nela aprendemos a trabalhar os músculos da devoção que resulta em santificação; esta é a nossa santa perseverança. Não creio em Deus por obrigação, mas porque posso crer nele. Problemas, lutas, desafios e mesmo a vida cotidiana tornam difícil a corrida da fé. Tive percalços, o que incluiu a morte de meu pai e minha irmã, além de quatro abortos espontâneos e diversas outras experiências e circunstâncias difíceis — de questões de saúde a relacionamentos rompidos. A vida na igreja não foi só sombra e água fresca, sobretudo porque pertenço a uma minoria étnica. Durante um período bastante penoso, o arrependimento se mostrou uma tarefa diária, enquanto o alívio parecia bem distante.

Tudo isso para dizer que não será fácil. Mas você e eu fomos chamados a perseverar, a andar com dignidade e a imitar a Cristo. Somos compelidos a prosseguir na corrida em razão da obra salvadora que Cristo realizou por nós, independentemente de nossos esforços.

Algo que distingue uma prova de atletismo da corrida cristã é que, nesta, não chegamos ao fim por nossa própria força. Para concluir a corrida, não é preciso mobilizar cada fibra de nossos músculos e repetir que "a mente tem poder sobre a matéria". Em vez disso, dispomos de grandes promessas na Palavra de Deus que nos ajudam a perceber que ele está correndo conosco e que o Espírito Santo opera em nós, capacitando-nos a avançar. Deus detém o controle, e agarrar-nos a essa verdade nos trará descanso e paz.

Nossa força e nossas habilidades não vêm de algo que fazemos; você e eu somos fortalecidos e capacitados pelo Senhor. Muito frequentemente, porém, a vida de fé parece confusa quando pensamos a partir de nossa realidade e travamos batalhas pessoais contra o pecado e a tentação. Como conciliar as duas coisas? Somos, de fato, salvos pela graça, ou temos de trabalhar com afinco? Pode parecer necessário conquistar a salvação, como se o prêmio que nos espera na linha de chegada dependesse totalmente de nosso empenho. Ou, quem sabe, você já tenha desistido: em vez de completar aquela reta difícil, você desmoronou e concluiu que era muito complicado, doloroso ou desencorajador.

Possivelmente, depois de tentar vez após outra, você tenha experimentado a graça e agora pense que a melhor maneira de terminar a corrida seja fazendo o que lhe parece melhor. Assim, em vez de acompanhar o desenho da pista, você segue em ziguezague porque é livre para agir assim. Sim, essa liberdade existe, ainda que correr em ziguezague não seja a intenção do Mestre para você. Há até mesmo quem abandone a pista de uma vez e busque um destino diferente.

Então, o que fazer agora?

De que maneira você se vale da fé para prosseguir na luta contra o pecado? Como exatamente você enfrenta as tentações?

Você resiste mesmo? É possível empenhar-se em combater a tentação e o pecado sem tornar-se orgulhoso e sem cair na ideia de que a salvação se baseia em esforço próprio em vez de resultar da graça? É melhor lavar as mãos diante da luta aparentemente inútil contra o pecado e deleitar-se no amor e na graça que Deus oferece de forma incondicional?

Felizmente, podemos ir até a Palavra de Deus e dar algum jeito nessa confusão. Porém, há questões desta vida que só serão plenamente respondidas quando estivermos com o nosso Salvador. Visto que a Palavra de Deus tem muito a dizer, minha esperança e oração é que, ao final deste livro, você e eu tenhamos uma melhor compreensão acerca de como terminar bem a corrida.

Ainda não estou no final da prova. Estou na casa dos 40 anos e tenho um pré-adolescente e um adolescente para educar; além disso, ainda não completei nem duas décadas de casamento. Ou seja, estou no meio da corrida, aprendendo o que é manter-se na raia. Oro para que *A corrida da fé* seja um canal de graça que ajude você e a mim ao longo da jornada.

Neste livro, exploro a importância da perseverança e também a graça que nos está disponível, os desafios que enfrentamos, a busca da santidade e o prêmio que ansiamos alcançar. Você vai ler relatos sobre a vida cristã — às vezes histórias de sucesso, às vezes de luta — e sobre o que é resistir e manter-se motivado a seguir rumo a Jesus.

Deus ordena que andemos de maneira digna do nosso chamado. E diz que completará a boa obra que começou em nós (Fp 1.6). Aquele que nos chamou é fiel e "fará isso acontecer" (1Ts 5.24). A vida é um combate de fé, e vamos investigar como devemos nos exercitar espiritualmente para esse combate. Vamos examinar alguns traços de caráter — como a persistência, a fidelidade, a paciência, o sacrifício e até mesmo a capacidade de lidar com o perigo — que se desenvolvem em nós à medida que avançamos.

Preciso informar, ainda, algo de que *A corrida da fé* não trata. Este livro não se presta a debates teológicos sobre confirmações ou constâncias; não fala sobre a possibilidade ou impossibilidade de se perder a salvação. Não vou tentar convencê-lo a acreditar em determinada doutrina. Em vez disso, vou assumir que persistiremos até o fim, o que não significa que não vamos falhar (e estou falando em falhar miseravelmente); significa que, quando chegarmos ao nosso limite, ainda acreditaremos e confiaremos na obra que Jesus Cristo terminou em nosso lugar. Ainda nos arrependeremos e descansaremos nele. Vamos considerar que, se de fato depositamos nossa fé e confiança na obra de Jesus Cristo, nossa salvação está garantida.

A corrida da fé nos ajuda a espiar sob a cortina das batalhas da vida real enquanto seguimos na corrida que nos foi proposta. Há razões para que alguém não persista até o fim. E quais são elas? Alguns teólogos sugerem que, se uma pessoa não persevera, ela nunca creu de verdade. Pode ser. Mas vamos nos preparar para aquelas situações que tornam a vida difícil demais e faremos isso reconhecendo essa dificuldade em alta voz, sem constrangimento. Espero que nos demos conta de que não estamos sozinhos na batalha e que podemos perseverar pela graça de Deus.

O ponto principal

Então, sob quais pressupostos avaliaremos a perseverança? Sou adepta da perspectiva exposta no livro de teologia bíblica *The Race Set Before Us* [A corrida posta diante de nós], de

Thomas Schreiner e Ardel Caneday. Considere esta promessa apresentada nas Escrituras: "Tenho certeza de que aquele que começou a boa obra em vocês irá completá-la até o dia em que Cristo Jesus voltar" (Fp 1.6). Considere também este alerta: "Observem como Deus é, ao mesmo tempo, bondoso e severo. É severo com os que lhe desobedecem, mas é bondoso com vocês, desde que continuem a confiar em sua bondade. Mas, se deixarem de confiar, também serão cortados" (Rm 11.22). Para algumas pessoas, esses trechos parecem contraditórios: Ora, Deus me preservará no final, ou serei cortado? Há diversos pontos de vista, mas aquele em que vou me basear crê assim:

> As promessas de Deus têm sua função, a saber, firmar a crença no Deus que mantém suas promessas e garante ser fiel ao seu povo [...]. As advertências e exortações divinas têm seu papel. Elas servem para suscitar a crença que persevera em fidelidade ao chamado celestial de Deus a nós [...]. As advertências estão a serviço das promessas, pois incitam a crença e a confiança naquilo que Deus prometeu.[3]

Em outras palavras, advertências e exortações convocam à fé que persevera até que se receba o prêmio. Deus nos conduzirá até o fim, e os alertas e avisos contidos nas Escrituras ajudam a guiar-nos rumo ao alvo. A força que vem de Deus e a perene fidelidade dele nos farão aptos a chegar lá. Ele nos deu sua Palavra como instrumento de graça e instrução. E nos concedeu seu Espírito para nos ajudar e capacitar.

Que Deus gracioso! Esta é a nossa santa perseverança: participar da corrida da vida cristã que nos foi proposta pela graça de Deus, mediante a força de Deus, até o dia em que veremos nosso Deus.

2
Jesus e a nuvem de testemunhas

> Portanto, uma vez que estamos rodeados por tão grande nuvem de testemunhas, livremo-nos de tudo o que nos atrapalha e do pecado que nos envolve, e corramos com perseverança a corrida que nos é proposta, tendo os olhos fitos em Jesus, autor e consumador da nossa fé. Ele, pela alegria que lhe fora proposta, suportou a cruz, desprezando a vergonha, e assentou-se à direita do trono de Deus.
>
> HEBREUS 12.1-2, NVI

Aquela corrida de revezamento poderia ter sido desastrosa. Eu estava no meu limite: minhas pernas vacilavam; sentia-me exaurida. Contudo, eu não corria apenas por mim mesma, mas por outras pessoas. Não dizia respeito apenas a mim; o esforço para alcançar a linha de chegada não era só meu.

A multidão estava em pé. Meu querido pai gritava: "Força, Trillia, força!". Meu técnico corria margeando a pista como se as pernas e os pés dele fossem os meus, incentivando-me com aplausos e conselhos: "Você já conseguiu! Ela está bem atrás de você, mas mantenha o foco. Vai!". Todo mundo berrava. Não estou exagerando; posso quase sentir tudo aquilo novamente agora. Foi intenso — e intensamente motivador! Havia uma nuvem de testemunhas me encorajando.

Eu podia ver aquelas pessoas me incentivando a cruzar a linha de chegada, e podia ouvi-las também. Embora não a vejamos nem ouçamos, todos temos uma celeste "nuvem de testemunhas", gente que correu antes de nós e agora nos incentiva a terminar a prova. Deus é tão generoso que descreveu essas testemunhas para nós, em Hebreus 12.1. Mas quem são elas e que papel desempenham? Bem, isso depende de qual delas você quer saber.

O termo *portanto* sugere que examinemos o capítulo anterior. Em Hebreus 11, o autor expõe a fidelidade dos santos do Antigo Testamento, que resistiram a tribulações, agiram apesar do medo, sofreram — e terminaram a corrida com êxito. Nossa nuvem de testemunhas inclui estes nomes (embora não se limite a eles):

- Enoque, que andou com Deus e creu nele (Hb 11.5; Gn 5.21-24).
- Noé, que em meio ao desconhecido confiou em Deus e lhe obedeceu (Hb 11.7; Gn 6.9—9.29).
- Abraão, que obedeceu sem saber o que aconteceria (Hb 11.8-10; Gn 12.1-4; Hb 11.17-19; Gn 22.1-19).
- Sara, que duvidou de início, mas veio a confiar, ainda que as circunstâncias parecessem impossíveis (Hb 11.11-12; Gn 21.1-7).
- Moisés, que escolheu um caminho de sofrimento e desprezo em vez de optar por riqueza e poder (Hb 11.24; Êx 2.11-15).
- Raabe, que não pereceu com aqueles que foram desobedientes (Hb 11.31; Js 6.25).

O substantivo *testemunhas* (do grego *martyrōn,* Hb 12.1) pode significar tanto "aqueles que veem" como "aqueles que falam".[1] Essas pessoas viram ou testemunharam algo sobre o qual podem testificar. Em Hebreus 11, a nuvem de testemunhas viu a fidelidade de Deus e a proclamou por meio da própria vida. *Testemunha* também pode significar "aquele que assiste a algo". Em Hebreus 12.1, a ideia de que a nuvem de testemunhas nos rodeia coloca-nos na condição de quem está sendo observado.[2]

Alguns teólogos, entre eles Henry Alford, acreditam piamente que todos os santos que nos antecederam estão nos encorajando lá do alto. Outros defendem uma interpretação mais ampla.[3] Sou propensa a acreditar que isso é um mistério, embora o Senhor tenha usado palavras como *rodeado* e *nuvem* para indicar determinada ocasião e lugar. Agora mesmo, estamos cercados por uma nuvem de testemunhas.

Essa fiel multidão continua a crescer e inclui nomes que você talvez conheça pessoalmente. Que ideia gloriosa! Minha esperança é que você e eu também nos juntemos a essa grande nuvem!

Na Grécia do primeiro século, eventos esportivos sediados em grandes arenas eram uma modalidade usual de entretenimento. Da mesma forma que a palavra "multidão" tem um sentido para nós, ela também tinha um significado para os leitores de Hebreus.[4] Tal qual em uma arena esportiva, há uma "nuvem" nos incentivando e encorajando. Essas pessoas vieram antes de nós e estão gritando como fez meu técnico: "Mantenha o foco. Vai!" Elas não intercedem em nosso favor — apenas Cristo faz isso —, mas a ideia de haver outros cristãos indo adiante de nós deve servir de estímulo enquanto prosseguimos.

A palavra *testemunha* pode, ainda, significar que aquela gente era exemplo de fidelidade. A própria vida de cada um deles serve de testemunho para nós. Eles formam uma nuvem que vai à nossa frente, de modo que podemos olhar para sua fé enquanto buscamos concluir a corrida. A palavra traduzida como *corrida* em Hebreus 12.1 é o grego *agōna*, que quer dizer batalha ou competição angustiante. A jornada cristã não é nada fácil, por isso olhamos para gente como Abraão, Moisés, Sara e Raabe, que entenderam o combate da fé e resistiram até o fim.

Por que contar com um pelotão de incentivo? Por que são necessários exemplos de fidelidade? Porque o peso do pecado que nos sobrecarrega pode retardar nosso passo, fazer-nos tropeçar e impedir-nos de concluir a corrida sãos e salvos. Algumas coisas se fixam tanto em nós a ponto de estorvarem nossa marcha e anuviarem nossa visão; esse é caso das consequências do pecado.

Livrando-nos do pecado

Um dos desafios mais importantes da corrida que travamos como cristãos é a tensão entre sermos salvos somente pela graça e sermos chamados a uma vida nova, ousada. Essa vida deve ser marcada pela perseverança em buscar a Cristo, modelada a partir do perfeito exemplo que ele nos deixou — a despeito de sabermos que, do lado de cá do paraíso, ficaremos bem aquém desse ideal. Você e eu precisamos nos dedicar a entender porque estamos nessa corrida, pelo que estamos correndo, bem como compreender as tensões por entre as quais navegaremos ao longo da jornada.

Dado que temos aquela nuvem de testemunhas, nós nos livramos "de tudo o que nos atrapalha e do pecado que nos envolve" (Hb 12.1). A nuvem é o que motiva a abandonar todo peso. Mas que peso é esse?

Você já assistiu a uma competição de ciclismo, natação ou atletismo? Em caso afirmativo, deve ter notado uma coisa: os atletas não usam muita roupa e, quando usam, trata-se de algo bem colado à pele. Há uma boa razão para isso: nas competições que envolvem essas modalidades, o esportista deve se expor ao mínimo de interferência possível. Nadadores precisam ser capazes de deslizar através da água. Ciclistas buscam minimizar a resistência do vento, e velocistas não podem ter nenhuma sobrecarga.

De modo semelhante, precisamos nos desfazer de tudo o que atrapalha nosso percurso. Todo peso deve ser abandonado. Isso é algo que soa forte, e é forte mesmo. Pode até parecer legalismo, mas não é. Se alguma coisa dificulta nossa caminhada, temos de descobrir um jeito de ajustar isso ou desfazer-nos de tal coisa.

Gênesis 3 evidencia que Adão e Eva desordenaram nossa vida e o mundo como um todo. Da queda desse casal originou-se nossa necessidade de perseverar. Se eles não tivessem caído, a vida não demandaria resistência, perseverança, batalha, agonia, e assim por diante. Mas agora temos de lutar não apenas contra as intempéries e as diversas circunstâncias que nos acometem, como também contra nossa natureza pecaminosa. Embora nós, que depositamos nossa fé e confiança na obra consumada de Jesus, sejamos novas criaturas, ainda precisamos nos livrar do nosso velho eu, combater o pecado e resistir à tentação (Ef 4.22).

Quem alega não ter pecado é mentiroso (1Jo 1.8). Foi Deus quem disse isso, e estou apenas repetindo — não culpe a mensageira! A batalha é real — e árdua também. Ela pode até levar à destruição, caso não lutemos. Como o apóstolo Paulo escreveu: "Agora, porém, [vocês] estão livres do poder do pecado e se tornaram escravos de Deus. Fazem aquilo que conduz à santidade e resulta na vida eterna. Pois o salário do pecado é a morte, mas a dádiva de Deus é a vida eterna em Cristo Jesus, nosso Senhor" (Rm 6.22-23).

Fomos libertos do pecado, mas há momentos em que o apelo dele parece forte demais. Isso me faz lembrar de uma luta pessoal. Recentemente, fui diagnosticada com hérnia de hiato: uma pequena abertura no alto do meu estômago permite que o ácido estomacal escoe para meu abdômen; além disso, parte do estômago se projeta sobre meu diafragma. Sim, é tão doloroso quanto parece. Alguns casos parecidos requerem cirurgia, mas descobri que posso controlar os efeitos indesejáveis por meio de uma dieta saudável. Para falar a verdade, minha alimentação deve ser mais que saudável. A fim de evitar que meu organismo seja prejudicado, preciso cortar até mesmo aqueles grãos e carboidratos recomendados para todo mundo.

O problema é que todos os alimentos de que devo me privar para manter a saúde sob controle são *muito* saborosos. Com maior frequência do que gostaria de admitir, eu me permiti comer algo que sabidamente não me faria bem. Nessas ocasiões meu apetite foi atendido e minhas papilas gustativas, satisfeitas. Mas, assim que a comida se assentava no estômago, as cólicas, tosses e náuseas insuportáveis retornavam. Acontece quase toda vez em que me falta autocontrole para dizer "não". Minhas ações têm consequências, e, se eu não me cuidar, elas podem resultar em problemas de saúde mais graves, ou mesmo em morte.

Meu desejo de comer coisas que não deveria me lembra do apelo do pecado. Por vezes, eu posso notar claramente a feiura do pecado, bem como sua natureza traiçoeira. Mas há momentos em que ignoro os avisos e advertências do Espírito e atendo à carne. O pecado pode habitar nosso coração e nossa mente, dizendo-nos que esse tipo de atitude vai nos satisfazer.

Pense na última vez em que você se irritou com alguém e tratou essa pessoa com frieza, ou soltou cobras e lagartos sobre ela. Essa reação pode ter parecido satisfatória à época, mas "a resposta gentil desvia o furor" (Pv 15.1). E o que dizer de quando você deu uma olhadinha naquele *site* indevido, só para se dar conta de que havia sido engolido por uma falsa e grotesca sensação de intimidade; então, desgraça e vergonha o acometeram. Sem dúvida, podemos enumerar muitas coisas que não deveríamos fazer, mas fazemos. E, no longo prazo, os resultados podem ser devastadores. Gratificação momentânea não passa disso: é momentânea. Logo se dissipa. A felicidade duradoura, porém, vem de negar a si mesmo, rejeitar o pecado e buscar a Jesus.

Nossa rota de fuga

A Palavra de Deus não minimiza o pecado. Em Romanos 6.23, vemos que o resultado do pecado — ou o castigo por causa dele — é a morte. O pecado mata tanto o corpo quanto a alma; ele corrompe tudo. Quando o pecado entrou no mundo, trouxe morte e escuridão, ruptura e vergonha. E quando pecamos deliberadamente, quando cedemos aos desejos da carne, estamos dizendo "sim" à morte.

Entretanto, Deus providenciou um escape: "As tentações em sua vida não são diferentes daquelas que outros enfrentaram. Deus é fiel, e ele não permitirá tentações maiores do que vocês podem suportar. Quando forem tentados, ele mostrará uma saída para que consigam resistir" (1Co 10.13). Pelo poder do Espírito Santo e pela graça de Deus, podemos dizer "não" ao pecado. Fomos libertos da iniquidade e não somos mais governados por seu poder (Rm 6.22).

Isso não significa que não pecamos nem pecaremos nunca mais. Vamos pecar e, de fato, estamos pecando. Sempre que queremos fazer o que é correto, o mal nos acompanha (Rm 7.21). Mas, quando temos escolha — e ela é bastante clara —, a nós é dado o poder de dizer "não". Que liberdade! Isso é que é motivo para nos alegrarmos!

É verdade que o salário do pecado é a morte. E, para quitá-lo, alguém deve morrer — o perfeito Filho de Deus, Jesus Cristo. Jesus experimentou a morte que cabia a nós. Ele sofreu a penalidade que merecíamos. Jesus é a razão de nossa liberdade, o provedor do dom gratuito que conduz à vida eterna (Rm 6.23). Esse é o maior de todos os motivos para nos alegrarmos! Cristo pagou uma dívida que jamais poderíamos pagar, algo que estava muito além de nossa capacidade. Agora, somos livres e temos a graça. Tomemos essa liberdade e vivamos de maneira digna desse evangelho maravilhoso. Não damos conta de fazer isso sozinhos, e é por isso que Deus nos dá mais e mais de si, a fim de que possamos ser escravos dele.

À medida que abandonamos o pecado que se fixa tão firmemente em nós, tornamo-nos mais e mais parecidos com o nosso Salvador. Essa é a narrativa da graça. Pecamos vez após vez, mas Jesus morreu por causa de todas as nossas iniquidades, pelo que somos libertos do poder do pecado. Recebemos tudo de que precisamos para ser mais parecidos com Jesus. Tendo sido soltos das cadeias do pecado, agora somos santificados, tornados mais semelhantes a Cristo. Estamos sendo transformados de uma medida de glória para a medida seguinte (2Co 3.18).

Portanto, na próxima vez em que se sentir tentado a pecar, lembre-se desse dom gratuito. Não obedecemos para receber um favor em troca. O favor já é nosso, e foi comprado por um preço. Assim, obedecemos por que amamos a Jesus e seu amor nos compele à obediência. Talvez seja por isso que o autor de Hebreus convocou seus leitores a olhar para Cristo durante a corrida.

Já está feito

A consciência do pecado pode ser insuportável se não for acompanhada da compreensão da maravilhosa graça de Deus em nosso favor. A condenação prejudica nossa busca por santidade; por isso, antes de avançar na teologia e na noção do que é correr a corrida, deixe-me lembrá-lo de fortalecer-se na fé. Meu desejo é que iniciemos cada dia com a lembrança desta verdade do evangelho: todos somos salvos pela graça, e não pelas obras que realizamos. Essa é uma dádiva concedida a cada um de nós, e devemos fazer dessa verdade do evangelho nosso firme fundamento.

Não precisamos ter medo de ser rejeitados por nosso Pai — nunca. Não precisamos sofrer sob o peso da autocondenação, pois Jesus já pagou tudo. Quem somos nós para ignorar isso? De fato, devemos nos alegrar em Jesus, viver livres da culpa do pecado, arrepender-nos ao cair, e pedir a Deus que nos dê força para caminhar de maneira digna do evangelho. Devemos tirar os olhos de nós mesmos e de nosso desempenho e fixá-los naquele que fez o que jamais poderíamos fazer. Descanse nele. Louve e celebre, pois seus pecados estão perdoados! Felizmente, Deus não deixou nenhum aspecto da salvação por nossa conta. A verdade é esta: Jesus é o nosso Salvador.

Recentemente, deparei com um sermão que explica com clareza essa grande conquista de Jesus em nosso favor. Leia (e depois leia de novo!) estas palavras de Elder D. J. Ward:

> Ouço isto na televisão e nas igrejas: "Deus fez tudo o que podia, o resto é com você". Ora, se o resto é com você, ele não terminou o que tinha de ser feito. Se há qualquer coisa a ser realizada por você, ele não concluiu a obra.
>
> Já ouvi até mesmo o seguinte: "Você precisa ajudar Deus a salvá-lo; ele não pode fazer isso sozinho". Se ele não pode fazer isso sozinho, então não completou seu trabalho. É um falso deus, um mentiroso; portanto, é melhor não confiar nele. Se ele não realizou o que precisava ser realizado, então devemos parar de cantar "Jesus pagou tudo". Cantemos: "Ele pagou uma parte".
>
> Vejam, irmãos e irmãs, se ele não completou a obra, estamos aqui à toa. Não importa quão religioso você seja: se a obra não estiver completa, você vai para o inferno. É objetivo assim, simples assim, claro assim.
>
> Agora, caso tenha concluído o que havia de ser feito, ele não precisa do seu melhor, e suas obras não precisam falar nada por você. Se ele completou a obra, você pode sair daqui contente pelo fato de seus pecados estarem agora sob o sangue de Cristo. Ele ocupa o seu lugar, é o seu mediador diante de Deus hoje.
>
> Afirmo, neste instante, que ele pagou tudo! Pagou cada detalhe por completo. Todo pecado que eu viria a cometer. Todo pecado que pensei em cometer. Ele pregou tudo isso na cruz; não carrego mais nada! Louve ao Senhor! Louve ao Senhor![5]

Jesus é a causa de você ser amado. E esta é a boa notícia: ele pagou tudo!

Você e eu não podemos sequer pensar em perseverar na fé sem que agarremos firmemente essa gloriosa verdade enquanto buscamos o Senhor e almejamos o poder transformador de seu Espírito. Essa busca não é para nossa própria glória e honra, mas porque somos compelidos por Cristo e pelo que ele fez. Tendo sido assegurada nossa salvação pela obra de Cristo e tendo a graça nos alcançado em consequência disso, você e eu corremos em meio a uma nuvem de testemunhas que nos encorajam na direção do Salvador, que aguarda para nos entregar o prêmio definitivo (Hb 12.1).

Vamos, juntos, investigar o que significa correr bem essa corrida e receber o prêmio; vamos explorar o que é viver uma vida que glorifica o Senhor e nos leva para mais dentro dele. Você e eu somos abençoados por poder estar nessa corrida; somos atraídos pelo maravilhoso amor, pela graça e pelo sacrifício de Cristo.

Mantendo o foco em Jesus

Uma vez que já não estamos sob o peso do pecado, estabelecemos com firmeza o alvo que vamos mirar. Devemos determinar esse alvo e nunca mais olhar para o lado. Quando uma dançarina está aprendendo a girar, ela é incentivada a definir um ponto em seu campo de visão e, a cada rotação, olhar fixamente para ele. Isso lhe permite girar sem cair nem ficar zonza.

De igual modo, fixar nosso olhar muda toda a nossa corrida. Embora sejamos incentivados pela nuvem de testemunhas, não miramos aqueles que correram antes de nós, pois são imperfeitos. Podem até ter sido, outrora, exemplos de fidelidade, mas somente Deus é plena e perfeitamente fiel. Somente Jesus é o autor e consumador da nossa fé. Somente ele, nosso perfeito encorajador, deve ser adorado. Como escreveu Philip Hughes em seu comentário a Hebreus:

O que poderia ser mais necessário que manter sempre diante de nossos olhos aquele que é o líder e aperfeiçoador de nossa fé? Longe daquele em quem todas as promessas divinas se cumprem, a humanidade corrompida não disporia de alicerce ou objeto para sua fé. Como vimos, é nele que estão, em todo tempo, os olhos da fé. Apenas ele suscita e estimula a fé; e, sendo o líder de nossa salvação (Hb 2.10), é o autor da fé que professamos.[6]

Jesus é o fundador (no grego, originador) da nossa fé; tudo começa e termina nele. É o perfeito mediador entre Deus e nós. Viveu uma vida perfeita; morreu como pecador. Jamais haverá maior sofrimento do que aquele que Jesus suportou na cruz. Jesus, o perfeito intercessor, não apenas originou nossa fé, mas também a conhece em todo o tempo. Sim, ele é quem a aperfeiçoa. Um dia, ele nos apresentará como santos e inculpáveis (Cl 1.22). Isso é extraordinário!

Hughes também escreveu:

> Ao olhar para Jesus, então, estamos olhando para aquele que é o expoente máximo da fé; aquele que, mais que qualquer outro, não apenas se lançou na jornada da fé como se manteve nela até o fim, sem hesitar. Portanto, Jesus é excepcionalmente qualificado como provedor e sustentador da fé daqueles que o seguem.[7]

Acreditar nisso, nem que seja um pouquinho, ajuda a nos mantermos motivados durante a corrida. Jesus já realizou o que jamais conseguiríamos realizar. Nosso maravilhoso Salvador nos convida continuamente a nos achegarmos a ele. Nessa corrida, clamamos por socorro a fim de conseguir fixar os olhos em Cristo e correr na direção dele. Não desejamos nada mais que manter a atenção no prêmio.

Contudo, não devemos nos iludir. Sabemos que, ainda que tentemos nos concentrar em nosso Salvador, vacilamos. Nós nos distraímos. Olhamos para a esquerda e para a direita, e nos desviamos. Como ocorre com a bailarina que olha de relance para o lado durante um giro, desabamos no chão. Não damos conta de fazer nada perfeitamente, e essa é uma das muitas razões por que olhamos para aquele que é perfeito. Não vamos fazer tudo certo sempre, em todo dia, a toda hora. Teremos dificuldades. Jesus é que foi perfeito, nós não somos; por isso, fixamos os olhos nele.

Eu quis me deter nesse aspecto de nosso coração e mente pois há muitas pessoas que tentam correr achando que alcançarão a perfeição em um único dia, pelo que fracassam e se desiludem, podendo vir a desistir em definitivo. Às vezes, a carga que nos estorva e da qual precisamos nos desfazer não é o pecado, mas a condenação. Vamos investigar outros tipos de sobrecarga, mas, em razão de o pecado fixar-se tão firmemente em nós, a condenação merece atenção máxima. Jesus morreu pelos pecados e pela redenção do mundo. Esse é o dom de sua graça.

Enfatizo isso porque sei o que é correr pensando ser possível conquistar o favor de Deus, sem descansar no benefício que Jesus me concedeu por meio de sua vida e obra. Sim, até mesmo nossas boas intenções podem ficar nebulosas. Queremos correr, mas queremos ajustar nossas motivações e não correr como aqueles que buscam conquistar o favor diante de Deus.

3
Motivos corretos

....

O cesto de lixo estava cheio de CDs, e eu estava convencida de que aquilo era o melhor a ser feito.

Foi um ato simples, é verdade, mas foi algo bem significativo para esta garota amante de música aqui. Mais ou menos depois de um ano de eu ter me tornado cristã, joguei no lixo todos os meus CDs. Eu queria iniciar tudo do zero e começar uma nova coleção, formada apenas por músicas cristãs; afinal, meu amor e minha devoção por Deus me impeliam a isso. Após tomar essa decisão, certifiquei-me de informar as pessoas de meu valente ato de obediência, a fim de ser aprovada por elas.

Não me lembro agora dos detalhes daquela coleção descartada, mas me parecia mais santo jogá-la fora do que mantê-la comigo. Porém, será que minha atitude fora mesmo motivada por amor a Jesus? Não. Eu estava mais preocupada em parecer cristã do que em ser inspirada pelo evangelho.

Claro que fazer uma boa faxina musical pode ser uma resolução sábia que honra a Deus, mas a motivação para isso é de vital importância. Um amigo uma vez me contou sobre um homem que desistiu do beisebol e ficou meio que hipnotizado pela ideia de que esse esporte era impróprio, chegando até mesmo ao ponto de se irritar quando alguém o convidava para um jogo. Penso que todos fazemos coisas que acreditamos ser agradáveis a Deus.

Precisamos dar um passo atrás e reconhecer que ter motivações corretas é essencial para uma vida consistente, na qual nossos atos se alinham às nossas crenças. Quando as atitudes fluem de um coração impelido pelas razões certas, experimentamos alegria, liberdade, gratidão e paz. Isso só é possível se nossas motivações estiverem arraigadas em Cristo. Não se trata de algo fácil, mas é incrivelmente libertador.

Eu estava motivada a *parecer* cristã; portanto, a sensação que tive foi a de que jogar fora aqueles CDs era uma decisão correta, algo que todo bom cristão devia fazer. Mas minha motivação não vinha do desejo de me resguardar de ser tentada por prazeres mundanos, pois aquelas músicas não me induziam a pensamentos pecaminosos. Assim, em vez de sentir alegria, liberdade, gratidão e paz, encontrei culpa e insatisfação ao querer agradar os outros. Faltava-me a tranquilidade de saber que em Cristo eu tinha segurança e amor.

A obediência de Jesus e a nossa

Sempre que falamos sobre correr a corrida com perseverança, é bom certificar-nos de que compreendemos adequadamente em que consiste a nossa obediência e o que é a obediência de Jesus em nosso favor. Jesus perseverou por causa da *alegria* que o aguardava (Hb 12.2)! A perseverança dele era orientada à alegria.

Felizmente, temos um Salvador que leva em conta nossas aflições. Jesus não apenas sabe do sofrimento humano como também está familiarizado com ele. Cristo conhece bem a minha e a sua dor. O Deus-homem suportou provas e tentações, e no entanto se manteve imaculado. Ele foi abandonado pelos amigos; foi um homem de dores. Ainda assim, resistiu até o fim, pois também estava numa corrida. Jesus cumpria uma missão: a redenção do mundo! A alegria que o aguardava era a de saber que se assentaria à direita do Pai. A morte foi derrotada! Portanto, Jesus sabe o que é perseverar; ele entende o que você vivenciou ontem, pelo que está passando hoje e o que enfrentará amanhã.

Enquanto seguia para a cruz, Jesus sentou-se e orou ao Pai pedindo que lançasse fora o cálice da ira divina, se assim desejasse. Contudo, Jesus se dispôs a beber desse cálice e pendeu na cruz, onde, em seus últimos instantes, clamou: "Meu Deus, meu Deus, por que me abandonaste?" (Mc 15.34).

A dor e o tormento sofridos por Jesus tiveram um propósito: a redenção do mundo. Jesus suportou grande agonia — algo que mal posso imaginar: agonia e fúria experimentadas em favor de mim.[1] Mas ele sabia do final. A perseverança que demonstrou em meio à dor e ao escárnio de morrer como um criminoso, e não como um salvador, vinha do fato de ele estar cumprindo um plano estabelecido antes da fundação do mundo. E, hoje, sabemos que "temos um Sumo Sacerdote sentado no lugar de honra à direita do trono do Deus Majestoso no céu" (Hb 8.1).

Atendo-se aos motivos corretos

Sendo cristãos, você e eu almejamos que a verdade de Deus nos oriente sobre o que pensar e como viver. Oramos por uma vida na qual nossa conduta esteja em sintonia com o que é verdadeiro e com aquilo em que cremos e pensamos. Enquanto buscamos viver dessa maneira, travamos uma importante batalha pelas motivações certas, resistindo aos motivos equivocados. As razões que nos movem podem se alterar com muita facilidade; por isso, é essencial que estejamos continuamente enraizados na verdade do evangelho: Cristo buscou a você e a mim enquanto ainda éramos pecadores; ele se humilhou e assumiu o castigo que merecíamos, para, assim, dar-nos nova vida para a glória de Deus. Jesus derrotou a morte e promete completar a obra que começou em nós. Essa verdade é o fundamento da motivação correta.

Aquilo que move seu coração importa porque Deus não se deixa iludir nem por aparência externa, nem por realizações. Correr pelas razões equivocadas também nos deixa esgotados, inclinados a desistir da corrida. Deus deseja que nossa obediência se manifeste tanto externa quanto internamente — em ações e pensamentos. Foi por isso que Jesus advertiu os fariseus de que olhar para a perfeição do lado de fora não significa nada se, por dentro, eles estavam cheios de morte, corrupção e impureza (Mt 23.27). Há liberdade, alegria e louvor a Deus na vida pautada pelos motivos certos. À medida que examinamos nossas motivações, você e eu precisamos reconhecer que vivemos uma penosa tensão como cristãos: ao mesmo tempo que somos salvos pela graça, somos impelidos a abandonar o velho eu e a andar de maneira digna de nosso chamado.

Minha luta com relação aos CDs tinha um nome: *legalismo*. Em sua dimensão mais primária, o legalismo é a pessoa tentando salvar a si mesma. É a tentativa de fazer a coisa certa desconsiderando que Deus nos justifica exclusivamente pela fé. É tentar obedecer sem a ajuda de Deus, sem contar com o poder e a graça dele. Embora o legalismo possa se parecer com confiança em Deus, por causa da prática de boas ações, na verdade trata-se de uma espécie de descrença, pois não nos faz descansar, pela fé, na obra consumada de Jesus.

Se estamos motivados a trabalhar arduamente para Deus na intenção de obter o favor dele, não há fé nem verdade no que fazemos. Em vez disso, tentamos complementar a obra concluída por Cristo na cruz; vivemos como se o que ele realizou não fosse suficiente, pelo que devemos nos empenhar em fazê-lo feliz — como se o fato de sermos aceitos por Deus dependesse de nossos esforços.

Tendo sido justificados unicamente pela fé, uma dádiva de Deus, você e eu fomos libertos da busca por conquistar o amor e o favor divinos. Nossa salvação não é — e nunca será — resultado de nossas ações (Ef 2.8). Jamais poderíamos fazer qualquer coisa para obter a bênção redentora que Deus nos dá. Nem o maior sacrifício poderia garantir-nos alguma coisa. Se você está em Cristo, tem o favor dele para sempre!

A tentação que me induziu ao legalismo era motivada por ambição egoísta; eu estava reunindo meus feitos e exibindo-os a Deus: "Olha, Deus! Joguei fora todos os meus CDs por tua causa". Essa ideia soa ridícula aqui, registrada por escrito. É por isso que Efésios 2.9 é tão importante; a salvação "não é uma recompensa pela prática de boas obras, para que ninguém venha a se orgulhar". Não cabe vangloriarmo-nos de nós mesmos ao terminar a corrida. Isto é o que torna a salvação uma dádiva: ela é gratuita, não adquirida por nós; de fato, em última instância, ela não tem nada a ver com você ou comigo, apenas com Deus. Deus realiza a obra, e é ele quem recebe a glória. O legalista quer fazer a obra, obter o benefício e receber a glória.

Talvez já esteja nítido que essa motivação não é boa, visto que é enviesada e corrompida pelo pecado. Em vez de me concentrar nas coisas boas que resultam da alegria e da compreensão de quais são meu lugar e minha identidade em Cristo, eu era movida por insegurança, egoísmo, desconfiança, culpa e dúvida. Precisamos perceber que nossa corrida em direção a Jesus tem mais a ver com ele do que conosco.

Recebi este bom conselho de um pastor: "Ao lutar contra o legalismo, não o combata abandonando a leitura bíblica". Em outras palavras, quando não vivemos pelas razões corretas, pode ser tentadora a ideia de descartar as coisas boas (como a leitura bíblica, os atos de amor e o evangelismo), pois achamos que elas são parte do problema. É bom examinar nossas motivações; precisamos ter consciência do que está por trás de nossos atos. Nesse exercício, porém, a confusão pode se instalar facilmente.

Quando se perceber nesse tipo de confusão, observe o que nos foi revelado pela Palavra de Deus:

- Deus já nos deu tudo de que precisamos para viver piedosamente (2Pe 1.3).
- Não há nenhuma condenação para quem está em Cristo Jesus (Rm 8.1).
- Nossa obediência a Deus é fruto do nosso amor por ele (Jo 14.15).

Se estamos nos debatendo com o legalismo é porque, em algum ponto de nossa busca por santidade, nos esquecemos de que só conseguimos viver para Deus por meio da graça que vem dele mesmo. Deus é quem nos garante "tudo de que necessitamos para uma vida de devoção" (2Pe 1.3). Em contrapartida, seu amor nos move — é o combustível de que precisamos.

Então, o que *não* é legalismo?

É aqui que a confusão pode se instalar. Meu objetivo ao ser atenta quanto à música que escutava era bom em si. Mas, quando equiparamos a busca por santidade ao legalismo, trocamos uma coisa pela outra. Esse equívoco pode nos fazer lançar julgamentos sobre os outros e, até mesmo, viver de forma licenciosa. Entretanto, como vimos, devemos nos desfazer do pecado que nos assedia com tanta veemência.

Buscar a santidade e praticar o legalismo não são a mesma coisa. Embora as ações pareçam semelhantes, as razões por trás delas são bem distintas. O legalismo deriva de motivações autocentradas e de um desejo de conquistar o favor divino, não da obediência a Deus e do amor radical pelo próximo. O que nos move enquanto manifestamos nossa fé e perseguimos a santidade vem por meio de algo que já foi completamente realizado por Jesus e pela dádiva de sua graça salvadora.

Essa notícia é libertadora. Ao buscar e amar Jesus e aprender sobre Deus, podemos fazer essas coisas como atos de obediência fiel. Quando acordamos pela manhã e nos curvamos diante de Deus, estamos expressando que precisamos dele. Quando abrimos a Bíblia para ouvir sua voz, podemos fazer isso não como quem procura a aprovação dele, mas como quem anda com ele numa relação de companheirismo.[2]

Infelizmente, quando nos esquecemos de que toda experiência de devoção e santificação vem de nosso Pai, corremos o risco de nos envaidecer e projetar nossos padrões nos outros. E particularmente tóxica é a prática de inventar padrões morais baseados em prioridades que não são mencionadas nas Escrituras. Isso faz com que logo comecemos a julgar as pessoas e a pressioná-las a adotar um estilo de vida que Deus jamais ordenou que tivéssemos. Esquecemos que os virtuosos princípios bíblicos são o fundamento de nossa fé e, no lugar deles, convertemos em lei nossas práticas humanas.

É da natureza humana distorcer as gloriosas verdades de Deus. Embora saibamos o que as Escrituras ensinam sobre viver como quem foi salvo pela graça mediante a fé, podemos nos esquecer disso. Esse esquecimento acaba deturpando nossa motivação e impedindo que vivamos de maneira piedosa.

Evidentemente, é difícil entender que nossa fé é apenas pela graça mediante a fé somente *e* que somos chamados às boas obras para a glória do Pai; também é difícil equilibrar essas duas realidades. Viver isso de maneira consistente com o que a Bíblia orienta é um desafio e tanto. A graça entendida como favor imerecido de Deus é a mesma graça que nos ensina a renunciar (em sentido literal, "rejeitar") o estilo de vida ímpio deste mundo (Tt 2.11-12). A graça nos ensina a discernir e a nos separar do pecado cultural, mas ela jamais nos torna referência para os outros.[3]

Observe suas motivações

Os motivos pelos quais lutamos contra o pecado nunca podem visar a exaltação de nós mesmos. Não existimos para receber louvor e glória; a motivação fundamentada no evangelho busca ver todo louvor e toda glória sendo direcionados somente ao Pai. Portanto, você e eu devemos renunciar ao pecado, a começar por aquele que habita em nós e, então, estendendo-se àqueles que percebemos na sociedade, sem, contudo, nos tornarmos presunçosos. Essa é uma grande tensão da vida cristã, pelo que somos compelidos a avaliar e examinar nossas motivações e a pedir ao Senhor que as refine.

O mundo nos diz que devemos seguir as motivações de nosso coração, isto é, que façamos o que bem quisermos. Em contrapartida, as Escrituras nos oferecem limites que não se destinam a nos reprimir, mas a ajudar-nos a andar na liberdade de Cristo. O legalismo diz que nossas motivações devem nascer do desejo de obter o favor de Deus, ao passo que a graça diz que somos livres e que não há como alcançar um favor que já foi conquistado em nosso lugar. A graça previne que nos apeguemos a padrões nocivos a nós mesmos e aos outros. Ela nos liberta da culpa, da condenação, da opressão e da implacável labuta diária que é tentar nos corrigir por conta própria. A tenacidade duradoura só pode resultar de uma motivação marcada pela graça, pela fé, pelo amor e, também, pela glória de Deus. Quando os motivos são corretos, viver pela graça se parece muito mais com viver em liberdade, não é?

A motivação causada pela graça que você e eu recebemos é vitalizante. Há descanso, paz e liberdade em saber que somos plenamente salvos de nosso pecado e que nosso Pai celestial nos ama da maneira mais profunda possível.

Isso não significa que podemos ou devemos abusar da incrível graça que nos foi concedida (ver Rm 6). Na verdade, é o contrário: em razão de sermos enormemente movidos e impactados pelo dom da graça é que somos transformados e incitados a amar, exaltar e reverenciar a Cristo.

O autor do livro aos Hebreus escreveu: "Apeguemo-nos firmemente, sem vacilar, à esperança que professamos, porque Deus é fiel para cumprir sua promessa" (10.23). Você já confiou em algo ou alguém que o decepcionou? Pode ter sido uma cadeira que bambeou ou um relacionamento que se desfez, o fato é que todos já passamos por situações nas quais depositamos nossa confiança ou esperança em algo que nos desapontou, feriu ou traiu. E, embora detestemos admitir, não somos apenas vítimas; já causamos decepções também.

Mas o seu Deus não é assim. Ele nunca desapontou ninguém, nunca traiu nenhuma de suas promessas. Deus nunca se mostrou inconfiável ou desonesto para com aqueles que nele depositaram a fé.

Nossa motivação vem da fé que temos em um Deus que nunca nos deixará na mão. Tudo mais em nossa vida pode nos frustrar, menos o Senhor. Falhar conosco é algo que contradiz seu próprio caráter. Portanto, ser movido pela fé é ser movido pelo caráter e pela fidelidade de Deus. Não há alicerce mais firme do que ele.

Impulsionados pelo amor

Paulo escreveu aos irmãos da igreja em Corinto dizendo-lhes quem eles eram em Cristo e orientando-os que fossem motivados pelo amor: "o amor de Cristo nos impulsiona" (2Co 5.14). Pense no que significa ser "impulsionado". Não tem a ver com algo estafante ou enfadonho. Não é ser ligeiramente encorajado ou razoavelmente disposto a ver o efeito de alguma coisa em sua vida.

Não, ser impulsionado pelo amor de Cristo é ser apanhado e lançado para longe. Imagine uma montanha em que há um rio caudaloso com uma corredeira gelada. Torrentes de água avançam em meio às rochas, fazendo curvas e despencando à frente. Se você se atrever a caminhar para dentro desse rio, isso será suficiente para ver-se pego e arrastado para longe. Quando corretamente compreendido, esse é o efeito do amor de Cristo.

Para o coração abrandado pelo Espírito Santo, o amor de Cristo é como um impulso. É algo que motiva. Você e eu somos lançados além em razão da grandeza do sacrifício de Cristo, de sua busca por nós, e da nova vida que ele provê àqueles que se acham nele.

Nosso mundo está repleto de mensagens instruindo-nos a viver para nossa própria glória, almejar notoriedade, alcançar renome. Como sociedade, somos atraídos por relatos de gente que alcançou fama e proeminência, independentemente de terem trabalhado com afinco para consegui-las ou terem deparado com elas de uma hora para outra. A profusão de *reality shows* disponíveis na TV tem um só propósito: tornar os vencedores famosos empurrando-os para os holofotes. Se não tomarmos cuidado, a promessa de fama instantânea conquistará nosso coração. Mas não vivemos por fama. Você e eu não fomos criados para glorificar a nós mesmos a fim de que outros nos exaltem. Fomos feitos para a glória de Deus somente. A maneira como vivemos deve ser impulsionada pela glória dele, não pela nossa.

Podemos refinar nossa motivação refletindo sobre quem estamos tentando glorificar. Buscar a exaltação pessoal nos coloca num caminho que não leva a lugar nenhum. Não há ponto de chegada, pelo que acabamos insatisfeitos e desesperados. Quando vivemos para a glória de Deus, encontramos verdadeira alegria e satisfação na vida. Nosso foco naturalmente sai de nós e se volta para Deus. Podemos resistir ao orgulho, ao ciúme e à comparação quando focamos a glória de Deus, e não a nossa.

Até mesmo enquanto escrevo isso, percebo que minhas motivações precisam ser realinhadas. É fácil duvidar que a graça pode cobrir todo o meu pecado. É fácil achar que eu poderia convencer Deus a me amar um pouquinho mais se eu fizesse (ou deixasse de fazer) certas coisas. É fácil perder a fé e começar a duvidar do caráter divino. É fácil ser impulsionado pelo que é errado — o que inclui minha própria busca por veneração e proeminência.

Mas, em lugar disso, podemos:

Ser motivados pelo dom gratuito que Jesus nos concedeu.

Ser motivados pelo fato de Deus ser quem é.

Ser motivados por aquilo que Jesus fez em nosso favor.

Ser motivados pela alegria de nos acharmos dedicados a louvar, adorar e enaltecer o único que merece isso.

Ser motivados por Jesus, "o autor e consumador da nossa fé [que,] pela alegria que lhe fora proposta, suportou a cruz, desprezando a vergonha, e assentou-se à direita do trono de Deus" (Hb 12.2, NVI).

Ser motivados pelo fato de Deus ter nos chamado e nos reservado um prêmio.

4
A verdadeira vida cristã

Amados, não se surpreendam com as provações de fogo ardente pelas quais estão passando, como se algo estranho lhes estivesse acontecendo. Pelo contrário, alegrem-se muito, pois essas provações os tornam participantes dos sofrimentos de Cristo, a fim de que tenham a maravilhosa alegria de ver sua glória quando ela for revelada.

1PEDRO 4.12-13

Lembro-me de quando eles se casaram. Foi num agradável e exuberante dia de verão. Todos se apresentavam impecáveis. Nada do que havia ali era menos que glamoroso, algo que era uma marca da minha amiga. No primeiro ano de casados vieram as fatídicas discussões e os questionamentos acerca do que havia acontecido com a doçura da lua de mel, mas os anos seguintes foram relativamente serenos e confortáveis. Então, vieram os filhos, três crianças maravilhosas e cheias de energia; dois anos depois do primeiro nasceu o segundo e, novamente após dois anos, chegou o terceiro. Tudo corria conforme o esperado: deixar e buscar na escola, jantares em família, igreja aos domingos... e assim sucessivamente.

Porém, a recessão bateu à porta, e bateu com força. A vida profissional do marido, que lidava com imóveis, ficou de cabeça para baixo... e tudo mudou. Quitar as contas em dia, algo que antes demandava pouca preocupação, passou a ser um grande peso. A casa estava prestes a ser hipotecada, e as crianças foram afastadas de diversas atividades. A pressão financeira e a dificuldade de acreditar que a vida já não era confortável trouxeram à tona feridas antigas sobre as quais ninguém havia falado; brigas acaloradas e inconsequentes se tornaram o novo normal.

Pouco a pouco, o marido se distanciou dos amigos, ficando cada vez mais isolado. Acabou se refugiando nos braços de outra mulher. Abandonou a fé e a família. Contudo, o novo relacionamento não durou muito.

Essa família não havia se preparado para as provas que em algum momento teriam de enfrentar. Além disso, viviam uma mentira, uma paz ilusória, sem lidar com as feridas ao longo da jornada. O marido se deu conta de que vinculara muito de quem era ao trabalho e ao dinheiro; assim, quando essas coisas lhe foram retiradas, ele se viu arruinado e fugiu. Tinha tudo aquilo que promete o "sonho americano": família, bom salário, *status* e, até mesmo, uma igreja para frequentar. Mas, quando tudo veio abaixo, nenhuma dessas coisas pôde sustentar sua fé.

Os perigos do evangelho da prosperidade

Uma das razões pelas quais pessoas que professam a fé em Cristo vêm a se esgotar é o fato de nunca lhes terem dito a verdade acerca da vida cristã. Não digo que ela seja sempre sofrível; há muita alegria a ser experimentada, mesmo em meio a circunstâncias difíceis. Mas, para muitos, o cristianismo é uma espécie de repelente de adversidades. O mais grave é que essa compreensão da fé gerou o chamado evangelho da prosperidade, ou seja, a crença na saúde plena e/ou na riqueza plena. Esse "evangelho", porém, não sustenta ninguém até o fim.

O evangelho da prosperidade propõe que, se tiver fé o bastante, o crente será próspero em tudo, especialmente em termos materiais e financeiros. A maioria dos que apregoam esse falso evangelho alega que, se a pessoa contribuir com o ministério deles, ela obterá, em contrapartida, saúde e/ou fortuna.

Talvez essa minha afirmação de que se trata de um *falso* evangelho pareça pesada demais. Mas os apelos desse dito evangelho não são apenas prejudiciais a quem o ouve; de fato, eles são falsos. O verdadeiro evangelho nunca promete saúde e dinheiro. Vez após vez, as Escrituras nos lembram de que seguir a Cristo significa padecer e de que há alegria e recompensa em nosso sofrimento (Jo 16.33; Rm 5.3-5; 8.18; 2Tm 3.12; Tg 1.2-4; 1Pe 5.10).

Muita gente tem sido induzida ao evangelho da prosperidade. Mesmo que não acreditemos completamente nesse ensinamento, alguns aspectos de nossa fé podem ser afetados por ele. É algo que pode se manifestar no modo como agimos, oramos e pensamos. Podemos dizer ou pensar assim: "Se eu fizer essa boa ação, o Senhor vai me abençoar", "Se eu for perfeitamente puro, modesto e fiel, Deus vai me dar uma esposa", "Se eu criar meus filhos de determinada maneira, eles se tornarão ótimas pessoas". Segundo essa mentalidade, tudo depende inteiramente de nós e diz respeito somente a nós. Achamos que o nosso sucesso e o dos outros, a nossa alegria, as condições em que vivemos e tudo o que Deus vai fazer ou deixar de fazer depende de como agimos, oramos ou pensamos.

Mas o que acontece quando passamos por situações difíceis, quando o dinheiro é escasso, quando os filhos se rebelam, quando o cônjuge nos trai, quando adoecemos? Acaso isso acontece porque não temos fé suficiente? Acontece porque somos imprudentes nos planos que fazemos? É certo que nossos atos e, em particular, nosso pecado têm consequências (Hb 12.6), mas Deus não nos pune nem muda de ideia com base no que fazemos. O apreço que ele tem por nós não se baseia em nós, mas nele mesmo — em sua misericórdia e graça para com os pecadores (Rm 5.8; 8.31-39; Ef 1.3-10; 2.4-5; 2Tm 2.13).

Fé supersticiosa

Alguns de nós podemos pensar que nossas ações conquistam o favor de Deus ou nos protegem do castigo dele. Na verdade, temos o que costumo chamar de fé supersticiosa. Perguntamos: "O que Deus vai fazer agora?" e, então, respondemos: "Por sorte, nada de mal me acontecerá".

Há bem pouco tempo, ao conversar com meu esposo, fiz um comentário leviano desse tipo. Não me recordo exatamente a que me referi, mas nunca vou me esquecer da resposta que recebi: "Trillia, isso é superstição; parece que você não confia em Deus". Ao ouvir meu comentário, meu esposo notou que não fora algo irrefletido, mas um reflexo do que havia em meu coração.

A resposta dele me deixou atônita. De repente, percebi que, naquele último mês, vinha me relacionando com a vida e com Deus de maneira supersticiosa, e não por fé. Veja bem, tivéramos um mês tranquilo, alegre, leve. Não estávamos enfrentando nenhuma tormenta — pelo menos nada incomum. Foi um mês calmo: não precisei viajar, o ano letivo das crianças estava praticamente concluído e, a despeito do tempo dedicado aos trabalhos escolares finais, tudo seguiu de forma descontraída.

Ainda assim, eu estava receosa. Temia que o chão se abrisse e nos víssemos em meio a grandes dificuldades. Eu suspeitava que algo horrível pudesse acontecer, arruinando nosso mês. E, por me privar de desfrutar as coisas boas, tinha dificuldade de apreciar o restante daquela temporada tão agradável. Eu me pegava pensando que "minha fase de sorte" acabaria e eu seria assolada por algo ruim. Tendo enfrentado muitas provações no passado, e embora soubesse que elas haviam sido úteis para meu aperfeiçoamento, eu me sentia ansiosa quanto ao que estava por vir.

Enquanto pensava sobre esse conflito, essa tensão, lembrei-me da minha terceira gravidez. Eu havia passado por dois abortos espontâneos e estava terrivelmente amedrontada de que pudesse perder o terceiro filho. Tive dificuldade até mesmo de celebrar a gestação. A cada consulta médica, eu estava certa de que ouviria as temíveis palavras: "Não há batimentos cardíacos". Naqueles meses, tive de aprender a confiar em Deus e a descansar nele. Eu precisava de fé para acreditar que a gravidez era um presente, que era realmente possível curtir aquela fase e agradecer a Deus por ela, ainda que com o coração vigilante.

Nesse contexto mais recente de que falei, eu me sentia da mesma forma, exceto pelo fato de não haver nada tangível a temer. Eu simplesmente olhava para o futuro, e até para os caminhos de Deus, com desconfiança ou mesmo dúvida. Então, estou reaprendendo o que significa batalhar pela fé, mesmo em meio às alegrias da vida.

À medida que confio nele e batalho pela fé, Deus continua me fazendo lembrar que ele é, de fato, soberano e, a despeito disso, é muito, muito bom. Se Deus fosse apenas soberano, isto é, se não fosse bom também, haveria motivo para sentir medo. Mas Deus é bom e soberano e prometeu fazer o bem (Sl 119.68). Contudo, a bondade dele não implica ausência de provações. Quando olho para o desconhecido, não preciso ter medo, pois estou nas mãos de um Deus bondoso, e *não* por não haver problemas diante de mim. Ele é o meu Pai, e posso descansar e confiar nele. Ele é quem é, independentemente de eu acreditar nisso ou não. Mas, hoje, peço a ele que me ajude a crer.

Como afirmou o pregador em Eclesiastes, há tempo para todas as coisas (Ec 3.1-8). Para mim, este é um tempo de alegria. Minha oração por você e por mim é que aprendamos a nos alegrar, a dançar, a desfrutar e apreciar tudo o que Deus está fazendo. E, quanto a eventuais períodos de lamento, minha prece é que, nessa ocasião, Deus supra a graça necessária. Mas, se o infortúnio não acontece agora, lancemos fora o medo e a preocupação e supliquemos por fé para confiar em nosso bom Pai.

Há uma luta constante em nossa corrida: lembrar-nos de olhar para Jesus e confiar em nosso Pai. Por vezes, qualquer coisa é motivo para desviarmos o olhar e tentarmos atribuir à vida um sentido desvinculado de Deus, mesmo em tempos bons. Mas precisamos combater as ideias do evangelho da prosperidade e as infelizes motivações da fé supersticiosa. Por quê? Porque a vida, a verdadeira vida cristã, pode ser dura, forjada em dor e agonia.

Sendo assim, o que fazer quando o sofrimento vem?

Quando chega o sofrimento

Ela era uma garota intensa, montava a cavalo, escalava, jogava tênis e nadava. Certo dia de verão, em 1967, tudo se transformou. Em questão de segundos, a vida dessa jovem mudou para sempre. Tendo calculado mal a profundidade da baía de Chesapeake, Joni Eareckson Tada bateu a cabeça ao mergulhar em água rasa, prejudicando de forma trágica sua espinha dorsal. Jamais voltaria a andar.

Joni foi diagnosticada tetraplégica, paralisada dos ombros para baixo. Em sua autobiografia, intitulada *Joni*, compartilha detalhes pessoais acerca das semanas, dos meses e anos que se seguiram ao acidente.[1] Ela conta dos dias na UTI, em que ouviu novos amigos de leitos próximos morrerem e visitantes entrarem e saírem dali; também conta de sua tentativa de reconciliar-se com Deus e com a vida que agora teria.

Joni se casou, estrelou um filme sobre sua vida, fundou uma organização para pessoas com deficiência e serve a milhares de outras com sua história e sua afiada obstinação em Deus. Ela suportou enorme sofrimento e sabe o que significa correr em meio à dor. Joni não disfarça as muitas angústias por que passa nem a imensa dor que sente. Em vez disso, coloca o foco de sua vida em Jesus. E tem perseverado bem.

Você e eu podemos nunca ter de suportar sofrimento semelhante ao de Joni. Entretanto, foi-nos assegurado que experimentaremos provas e aflições. Nem mesmo a vida de Jesus foi privada dessas coisas, e é razoável pensar que, se tomamos a vida dele por modelo cada dia mais, então também enfrentaremos provações como ele enfrentou. Deus usa as provas e as aflições para nos transformar durante a corrida. Virtudes que nos serão bastante úteis — caráter, determinação, etc. — são moldadas de modo significativo nessas ocasiões.

O apóstolo Paulo foi um homem perseverante. Ele foi perseguido, preso, agredido — até mesmo quase à morte (2Co 11.21-23). Como se não bastassem os problemas que tinha com perseguidores, também lidava com questões relacionadas às viagens que fazia: desviar-se de assaltantes, padecer de sede e fome, enfrentar acusações de gente a quem servia... até mesmo terra e mar eram perigosos para ele (2Co 11.24-29). Mas Paulo não pedia que essas coisas deixassem de existir, talvez porque ele aprendera a ser contente (Fp 4.11-13). Ou, quem sabe, porque experimentava uma dor insistente muito pior que elas. Nunca saberemos o motivo, mas sabemos que Paulo tinha uma aflição, um espinho na carne do qual pedia ao Senhor que o livrasse (2Co 12.7-8).

Ninguém sabe o que era esse espinho de Paulo; há muitas teorias, mas não passam disso: teorias. O que sabemos é que esse espinho veio de um mensageiro de Satanás, semelhante ao que ocorrera com Jó (2Co 12.7; Jó 1.1-12). Sabemos que causava sofrimento, pois, por três vezes, Paulo pedira ao Senhor que o removesse (2Co 12.8). E sabemos que Paulo acreditava que o propósito de tal espinho era privá-lo de orgulho. Portanto, o que podemos aprender do espinho de Paulo no que diz respeito a perseverar?

Resistir à dor não requer que a ignoremos ou simplesmente aceitemos nosso destino. Paulo pediu ao Senhor que o livrasse daquilo. Eu costumava pensar que deveria ser forte durante as provações. No primeiro de quatro abortos espontâneos, eu me lamentei, mas achei que pudesse respirar fundo algumas vezes e seguir adiante. Queria ser forte — por que razão, ainda não sei bem. Talvez meu anseio por força fosse uma espécie de autoproteção: "Se eu não for vulnerável e fraca, ficarei bem".

Alegro-me porque Deus não diz que, para sairmos do fundo do poço, devemos puxar nossos próprios cabelos para o alto. Ele está perto; ele ama o abatido, o necessitado, o fraco.

E, quando lemos os salmos, somos convidados a chorar e lamentar pranteando a dor.

> Por que escondes o rosto de nós?
> Por que te esqueces de nosso sofrimento e opressão?
> Desfalecemos no pó,
> caídos com o corpo no chão.
> Levanta-te e ajuda-nos!
> Resgata-nos por causa do teu amor!
>
> Salmos 44.24-26

Podemos fazer perguntas difíceis a Deus: "Onde estás, Senhor?", "Por quanto tempo mais, meu Deus?". Indagar sobre sua presença e tentar compreender uma situação não é blasfemar contra ele. Como escreveu o autor e editor Al Hsu: "O lamento [...] coloca nossa angústia na direção certa: ele nos faz voltar para Deus".[2] Ao prantear, podemos pedir a Deus que remova a dor e o sofrimento. Até onde sabemos, Paulo morreu com aquele espinho na carne; o Senhor não o removeu. Mas a aflição do apóstolo não foi em vão; antes, teve um grande e importante propósito.

Quando Paulo pediu que a dor fosse eliminada, a resposta de Deus foi: "Minha graça é tudo de que você precisa. Meu poder opera melhor na fraqueza" (2Co 12.9). A graça se derrama por causa do sofrimento, e ela basta para nos sustentar. Não é a nossa força o que nos faz prosseguir, é a graça de Deus. Para Paulo, o orgulho era um risco. Talvez, caso dispusesse de toda força e fosse livre de toda dor, o apóstolo se gabasse de suas boas obras e de seu conhecimento (2Co 12.7). Mas, sendo fraco, sabia que somente Deus o sustentava, pelo que se gloriava no Senhor.

Agi mal naquele primeiro aborto; pensei que tivesse a ver comigo. Achei que precisava ser forte. Foi só no segundo aborto espontâneo que entendi que não tenho força nenhuma para prosseguir se não for pela misericórdia e pela graça de nosso Senhor. Não havia nada que eu pudesse fazer. Eu tinha muitas perguntas, mas, mais do que isso, sentia uma tristeza profunda; meu lamento durou vários meses. A graça divina me sustentou na travessia da dor. Então, engravidei novamente, e Deus me sustentou enquanto atravessei o medo e a ansiedade durante aquela gestação — até o exato segundo em que minha filha nasceu.

A graça de Deus basta. A dor é grande, e ele sabe disso. Resistir ao sofrimento se assemelha, às vezes, a ser torturado, e Deus não pede que neguemos essa verdade. Às vezes, queremos desistir. Ele não espera que esbocemos um sorriso amarelo e nos resignemos; também não nos deixa sozinhos. "A graça de Deus basta" significa que ele está com você. Ele o sustentará com sua santa mão direita.

Fé perante os problemas

Encarar problemas demanda *fé*.

Espere aí... eu não disse, ainda há pouco, que o evangelho da prosperidade é a crença, falsamente baseada na fé, de que Deus nos dará tudo o que quisermos? Sim, disse. Mas o fato de refutarmos o evangelho da prosperidade — que busca usar a fé para alcançar segurança em nossa saúde e nossas riquezas — não significa que rejeitamos, com ele, a fé. O alvo do evangelho da prosperidade não é o alvo que miramos. É preciso fé para crer nisso a fim de que possamos resistir. A fé é valiosa e agradável para Deus.

Com frequência, a fé é associada à salvação: "Vocês são salvos pela graça, por meio da fé" (Ef 2.8). Isso também faz sentido; é preciso ter fé para crer em tudo o que diz respeito ao cristianismo. Um homem que estava com Deus veio à terra na forma de um bebê, teve uma vida perfeita, agonizou em uma cruz, suportou a ira divina, morreu e ressuscitou. Há que se ter fé para acreditar nisso.

C. S. Lewis colocou desta forma:

> Estou tentando impedir que alguém repita a rematada tolice dita que muitos dizem a seu respeito: "Estou disposto a aceitar Jesus como um grande mestre da moral, mas não aceito a sua afirmação de ser Deus". Essa é a única coisa que não devemos dizer. Um homem que fosse somente um homem e dissesse as coisas que Jesus disse não seria um grande mestre da moral. Seria ou um lunático — no mesmo grau de alguém que dissesse ser um ovo cozido — ou então o próprio diabo. Faça sua escolha. Ou esse homem era, e é, o Filho de Deus, ou não passa de um louco ou coisa pior. Você pode querer calá-lo por ser um louco, pode cuspir nele e matá-lo como a um demônio, ou pode prostrar-se a seus pés e chamá-lo de Senhor e Deus, mas que ninguém venha, com paternal disparate, dizer que ele foi um grande mestre humano. Ele não nos deixou essa opção, e não quis deixá-la. [...] Ora, parece-me óbvio que ele não era nem um lunático nem um demônio; e consequentemente, por mais estranho, assustador ou improvável que pareça, tenho de aceitar a ideia de que ele era, e é, Deus.[3]

É preciso fé para acreditar que Deus é quem diz ser. É preciso fé para acreditar nas afirmações do cristianismo: ou ele é o que é ou é tudo uma grande mentira. Nossa crença é uma dádiva de Deus (Ef 2.8).

O mesmo se aplica à resistência à dor. "A fé mostra a realidade daquilo que esperamos; ela nos dá convicção de coisas que não vemos" (Hb 11.1). Para prosseguir em meio à dor, Paulo teve de crer que havia um propósito nela e que esse propósito era maior que ele. Teve de acreditar que Deus não só faria como dissera, mas também o sustentaria. Para atravessar a dor, precisamos ter fé.

Nunca vou me esquecer de um passeio de bicicleta que fiz com uma ótima amiga. Estávamos em Utah para uma visita e decidimos pegar a estrada. Meg era habilidosa com a bicicleta e conseguia pedalar por longas distâncias sem precisar parar para comer. Ainda não havíamos almoçado quando começamos o trajeto e, duas horas depois, sem qualquer comida, apenas água, ainda pedalávamos. Fui bem até o trigésimo quilômetro, mais ou menos. Depois disso, era como se eu tivesse deparado com uma parede: minhas pernas não queriam mais se mover, meu estômago começou a doer e achei que pudesse desmaiar. Eu estava dolorida, faminta e exausta.

Mencionei que estávamos em altitude elevada? Sim, também me faltava oxigênio!

Eu estava acabada. Não fazia ideia de como voltar para conseguir água, comida e repouso a não ser seguindo minha amiga até a casa onde nos hospedávamos. E foi o que fiz. "Estamos chegando", disse ela. "Quase lá, Trill." Eu não via mais nada, apenas sentia dor. Devagar, penosamente, pedalei atrás dela em busca de alívio. Aquele passeio acabou se mostrando um transtorno memorável.

Precisei de muita confiança e muita fé para acreditar em Meg. Tive de acreditar que ela estava interessada em me ver bem e que me levaria até lá antes que eu desmaiasse. Foi o que ela fez. Por vezes, eu quis chorar; em outras, rimos de maneira histérica. E conseguimos. Eu segui, confiei e continuei me movendo.

A fé que precisei ter para passar por essa experiência não se compara à fé que precisei ter quando estive grávida. Não se compara à fé requerida quando alguém recebe um diagnóstico terrível. Mas ilustra como, à medida que perseveramos na vida e atravessamos a dor, fazemos isso às cegas. Você e eu não sabemos qual será o final; só Deus sabe. Tudo o que temos é a fé. Nós nos agarramos à fé. Oramos por fé. Confiamos por fé. Tudo diz respeito à fé, e ela é dádiva da graça divina.

Deus nos dá fé para que acreditemos no que não se pode ver. Encontramos descanso para o nosso coração ao saber que Deus, que é invisível, está conosco. Deus nos dá fé para crermos que ele é quem diz ser, conforme sua Palavra. Ele nos dá fé para crer que todas as suas promessas são, de fato, nossas. Ele nos dá fé para crer que Jesus está intercedendo por nós. E, quando não acreditamos, quando nossa fé parece frágil, descansamos na promessa de que ele nunca nos deixará nem nos abandonará. Como disse certa vez o teólogo J. I. Packer: "Sua fé não falhará enquanto Deus a sustentar; você não é forte o suficiente para cair enquanto Deus está decidido a segurá-lo".[4]

Nos próximos capítulos, vamos examinar algumas circunstâncias reais que dificultam a perseverança. Dividi em três áreas, de modo intencional, nossas batalhas. A primeira é a aflição mental, que corresponde às coisas que acontecem dentro de nós. Podem resultar das circunstâncias ou ser apenas conflitos imateriais, como cinismo, estafa, cansaço, exaustão e complacência. A segunda é a dor física, coisas que afetam nosso corpo, como câncer, acidente de carro, etc. Por fim, vamos examinar nossa cultura e o mundo conectado em que vivemos. Agora mesmo, estamos numa época em que há, o tempo todo, grande necessidade de perseverar — e há também entraves a isso. Em meio a todas essas situações, aprendemos a andar por fé e não pelo que vemos, sabendo que Deus é sempre conosco.

Perseverando mediante a presença de Deus

O escritor Randy Alcorn refletiu sobre o texto de 1Pedro 4 ao recontar uma das maiores provações de sua vida e tudo o que o Senhor o ajudou a enfrentar. A conclusão foi esta: "'Amados, não se surpreendam com as provações de fogo ardente pelas quais estão passando, como se algo estranho lhes estivesse acontecendo'. Nunca aderimos ao evangelho da prosperidade. Durante minhas provações tive profunda consciência da presença de Deus".

Randy não é estranho à tragédia. Assim como é profundamente consciente da presença divina, ele também tem aguçada noção de que a bondade, a fé e a obediência não garantem vida fácil.

Aos 31 anos, então aparentemente saudável, Randy foi diagnosticado com diabetes tipo 1. O diagnóstico veio no mesmo mês em que seu primeiro livro foi lançado. Aquela foi a primeira grande mudança em sua vida. Randy cresceu como um garoto independente e sempre foi forte e saudável. Mas, para sobreviver, seu corpo simplesmente apresentava necessidades significativas. "Foi esse o modo com que Deus me sujeitou e me fez dependente dele", disse.

Cinco anos depois, em 1990, ele enfrentou outro teste ao ser preso por bloquear portas de clínicas de aborto. Uma das clínicas o processou e perdeu a causa, mas sobressaiu em um acordo financeiro. Contudo, a consciência de Randy não lhe permitia que fizesse o pagamento; ele não desejava assinar um cheque destinado a uma instituição daquele tipo. Pouco antes, todos os seus bens tinham sido transferidos a Nanci, sua esposa, e todo o valor dos direitos de venda de seus livros foram cedidos a um ministério. Pela lei, ele estava falido.

Na ocasião do incidente, Randy pastoreava uma grande igreja e teve de resignar-se a fim de proteger a congregação da ruína financeira, temeroso de que o tribunal exigisse dela o pagamento. Ele já vivia com uma pequena porção de seu salário e acabara de quitar sua casa. Então, seguiu-se novo processo envolvendo outra clínica de aborto, que ganhou a maior sentença já imputada contra um grupo de manifestantes pacíficos: 8,2 milhões de dólares. Randy precisou limitar-se a um salário mínimo, ou menos, a fim de evitar que sua renda aumentasse e fosse guarnecida.

Espantosamente, ele exclamou: "Os maiores presentes de Deus para mim foram essas duas provações". Daquela época para cá, a sentença se encerrou, e agora ele pode ganhar salários maiores. Todavia, Randy afirmou: "Na verdade, era mais fácil quando recebíamos salário mínimo". Recentemente, ele e a esposa tiveram de gastar 25 mil dólares na reforma da casa onde moram, mas eles continuam a destinar ao seu ministério os direitos de venda dos livros dele.

Ao longo desses anos, Randy lutou contra a depressão, mas jamais duvidou da bondade de Deus e prontamente declara: "O Senhor me sustentou".

Agora, ele e Nanci enfrentam outra batalha: ela foi diagnosticada com câncer. "Temos conversado muito sobre nossa finitude", disse Randy. "Não de uma forma mórbida. Fazemos pedidos conforme nosso anseio por terminar a vida bem. Somente na ressurreição atingiremos nosso melhor. Não haverá mais dor. Vislumbrar a antecipação da realidade eterna nos dá paz e alegria para viver hoje."

Quanto a desejos a realizar, ele comentou: "Você acha que somente neste mundo teremos a chance de subir montanhas?".[5]

Somente o Deus verdadeiro — e não substitutos baratos — pode nos sustentar durante as provações. E ele certamente fará isso.

5
Nossa mente e a perseverança

....

Você já teve a experiência de alguém vir compartilhar algo com você e essa pessoa começar a apresentar diversas ressalvas? Ou, talvez, alguém tenha desejado trabalhar com você, mas, antes, ficou explicando todos os motivos pelos quais você devesse dividir o trabalho com outra pessoa. Bem, é isso que estou prestes a fazer aqui. Vou explicar o que *não* vai acontecer neste capítulo e o que *não* estou qualificada a realizar para, somente então, aprofundar-me nas maneiras como lutamos em meio à dor.

Não estou escrevendo estas linhas na condição de psicóloga, terapeuta ou conselheira cristã certificada. Escrevo como uma leiga que estudou a Palavra de Deus e experimentou, em primeira mão ou por meio de amigos, os assuntos que vai abordar. À medida que ler este capítulo, você poderá descobrir que o melhor passo a dar é consultar um conselheiro capaz de ajudá-lo de modo mais eficaz. Embora minha esperança e minha oração sejam para que este capítulo lhe seja útil nesta corrida em que estamos, também estou ciente de que há lutas que precisam da atenção de um profissional habilitado para lidar com elas.

Dito isso, exploremos a primeira área que demanda nossa atenção: a mente, cuja importância para a nossa caminhada na fé é extrema.

A importância da mente

Atletas de resistência são conhecidos por afirmar que concluir uma corrida tem a ver com a mente tanto quanto com a habilidade para tal — se não mais. Claro, a habilidade importa, mas, se sua mente não estiver pronta para chegar ao vigésimo primeiro quilômetro de uma maratona e continuar correndo outros vinte e um, as chances de você finalizar a prova são escassas. O máximo que já corri foram dez quilômetros e, hoje, correr um quilômetro e meio é pura agonia. Meu corpo consegue continuar, mas minha mente diz: "Pare!".

Dean Karnazes, atleta de resistência, completou cinquenta maratonas em cinquenta estados em cinquenta dias consecutivos. Ele queria testar os limites de seu corpo, mas isso não era tudo.

> Quando concluí uma maratona, pensei: "Hum, acho que posso ir além". Eu queria explorar não apenas os meus limites físicos, mas as limitações da minha mente. Como mostram as pesquisas, parte do treinamento de um atleta inclui estratégias para lidar com a dor. Alguns se distraem recitando poemas ou contando movimentos. Ao fazer isso, esses atletas estão engajando a mente na corrida que lhes foi proposta. Embora tenhamos a impressão de que correm sem muito esforço, eles estão trabalhando tanto física quanto mentalmente para resistir até o fim.[1]

A mente é incrível e poderosa. É a usina de força de todo o nosso organismo. A Biblioteca Nacional de Medicina dos Estados Unidos afirma o seguinte:

> O cérebro funciona como um grande computador. Ele processa a informação que recebe dos sentidos e do corpo e envia mensagens de volta ao corpo. Mas é capaz de realizar muito mais

coisas que uma máquina: homens e mulheres pensam e experimentam emoções por meio de seu cérebro; essa é a raiz da inteligência humana.[2]

O cérebro possibilita que você e eu saibamos quando algo é quente ao toque, sinaliza aos nossos sentidos que devemos lutar ou fugir e permite que vejamos essas palavras agora e consigamos interpretá-las. Quando fazemos coisas simples, como começar a dar um passo adiante, nossa mente já ordenou que nossos músculos se movessem. A criação de Deus e a maneira como ela funciona são um milagre.

Essa é uma das muitas razões pelas quais a lesão cerebral é tão desoladora. O cérebro controla simplesmente tudo em nós: respostas, reações, movimentos, palavras e até mesmo nossos afetos. Deus sabe disso; ele o projetou para que fosse assim. E já houve ocasião em que nossa mente era perfeita.

Mas lesões não são a única ameaça ao nosso cérebro. O pecado descrito em Gênesis 3 danificou tudo, inclusive nossa mente.

Como Paulo explica, em nossa natureza pecaminosa, antes de sermos transformados pelo evangelho, tínhamos uma "mente reprovável" (Rm 1.28, NVI). Isso quer dizer que, antes de nos tornarmos cristãos, nossa mente não tem a habilidade de nos fazer amar a Deus; nossos pensamentos são incapazes de agradá-lo. Então, recebemos a impraticável ordenança de amar a Deus não apenas com o nosso coração, mas com tudo o que somos, inclusive nossa mente (Mt 22.37).

Aqui está a boa notícia: o problema da nossa mente e a nossa incapacidade de agradar a Deus foram solucionados pelo sangue de Jesus. Quando nos transforma, ele o faz por inteiro. Isso não significa que somos curados do dano causado ao cérebro, nem que não precisamos usar a mente. Significa que nossa profunda e imensa necessidade de sermos lavados e tornados limpos foi satisfeita. Porém, como você e eu sabemos, a batalha pelo controle da mente continua, e as Escrituras têm muito a dizer sobre isso.

A silenciosa luta contra o cinismo

Em geral, escuto músicas enquanto me preparo para começar o dia; ultimamente, porém, num esforço para me informar sobre o mundo e manter-me a par dos acontecimentos, tenho escutado a Rádio Pública Nacional. Uso o aplicativo Alexa, que toca músicas e até conversa com a gente, tudo de forma personalizada. Um dia desses, depois da rotina usual, fui desligar o aplicativo e vi que não estava ligado.

Eu estava certa de que tinha escutado alguma coisa. Então, dei-me conta de que meus pensamentos estavam em volume tão alto que havia me esquecido de pedir a Alexa que tocasse algo. Minha mente corria um quilômetro por minuto com pensamentos sobre o dia, sobre meus compromissos, sobre um conflito que precisava ser resolvido, e por aí vai. Não me recordo de tudo o que a ocupava, mas minhas ideias falavam alto. *Disso* eu me lembro claramente.

Nossas lutas mentais são tipicamente silenciosas — quer dizer, para os outros. Mas elas ecoam alto em nossa cabeça. Notei que é complicado articulá-las. É fácil dizer: "Sinto-me ansioso porque...", mas, para apreender totalmente o peso da ansiedade, precisamos entender o que há em nossa cabeça. E, pelo fato de as lutas mentais serem silenciosas, é fácil pensar que estamos sozinhos. Mas não estamos desacompanhados nessa batalha.

Muito já foi escrito sobre ansiedade, depressão, preocupações e coisas do gênero. E nunca podemos nos cansar de lidar com essas lutas. Algumas delas têm a ver com desequilíbrios químicos ou aspectos hormonais. Felizmente, a igreja está começando a prestar mais atenção nisso.

Uma batalha que não vejo ser abordada com frequência no ministério cristão, mas que pode afetar profundamente o modo como vemos Deus e o próximo, é o *cinismo*. Por definição, cinismo é "uma inclinação a acreditar que as pessoas são motivadas meramente pelos próprios interesses".[3] Ele é irmão do *ceticismo*. O cínico não confia nem acredita nos outros. Com o tempo, pessoas afetadas pelo cinismo podem mostrar-se cansadas ou apáticas; foram tão desapontadas ou viram tanta coisa que acabaram por desistir. Tanto o cinismo quanto o ceticismo podem levar ao esgotamento, sobretudo na caminhada cristã.

Vi igrejas se dividirem, amigos se afastarem e pessoas se tornarem incapazes de tolerar umas às outras depois de o cinismo esgueirar-se sorrateiramente e tomar as rédeas da situação. Quando vemos um líder cair, por exemplo, podemos ter dificuldade para suportar outra questão controversa na igreja. É possível que larguemos a toalha, desistindo de continuar.

Eu conhecia Sarah havia anos e a amava muito. Ela era alguém que eu admirava, uma pessoa que amava a Deus. Eu queria imitar sua fé. Qualquer um facilmente afirmaria que a vida dela era bem simples. Porém, aquela fé começou a ruir, embora o marido se mantivesse fiel e os filhos não apresentassem problemas e fossem incrivelmente obedientes. Não havia acontecido nada a Sarah, nenhuma doença, nenhuma dificuldade financeira. O que era aquilo? Um líder em quem confiávamos e a quem seguíamos caíra em pecado, e tudo o que Sarah sabia começou a desmoronar.

A reação de Sarah foi fugir daquela situação. Contudo, ela não apenas deixou a igreja: deixou também a fé. Tornou-se cínica, não conseguia confiar em mais ninguém. Estava cansada, não queria mais suportar o fardo dos outros. Passou noites e noites lendo artigos sobre o líder que se corrompera, atormentada pelo rastro de destruição que ele havia deixado. Sarah não conseguia se concentrar e lutava para tirar aquelas ideias da mente. Por fim, todo mundo acabou lhe parecendo mentiroso e traidor. Em quem ela poderia confiar?

Sou solidária a Sarah. É terrível quando tudo o que você achava ser verdade se desfaz. Mentiras são reveladas, pessoas se veem traídas. É mais que difícil. Deixar uma igreja é totalmente aceitável e, às vezes, necessário; entretanto, tenho me debatido com a ideia de que o cansaço e o cinismo podem nos levar ao ponto de renunciarmos nossa fé em Deus — se fulano fez tal coisa a beltrano, como é que Deus pode ser bom e confiável? Essas situações e a forma como respondemos a elas são complexas; porém, ver como pessoas caídas destroem vidas me ajudou a avaliar onde deposito minhas afeições. Aquilo em que colocamos nosso coração e nossa mente de fato importa. Aquilo em que colocamos nossas afeições afeta nossa perspectiva das coisas.

O cínico luta para ver beleza e potencialidades em outras pessoas e nas circunstâncias. A ensaísta Marilynne Robinson esclarece:

> Quando um bom homem ou uma boa mulher tropeçam, dizemos: "Eu sempre soube", e, quando uma pessoa má age de forma bondosa, zombamos da hipocrisia. É como se não houvesse nada para lamentar nem para admirar, apenas uma narrativa oculta que, vez ou outra, vem à tona rompendo a narrativa falsa,

superficial. E a narrativa oculta, sendo repulsiva e sombria, é, portanto, a verdadeira.[4]

Qualquer que seja o bem, ele é enevoado pela lembrança de decepções. Tenha a certeza de que, ainda que seja verdade que alguém o prejudicou, não é verdade que todo mundo esteja querendo tirar o que é seu. Pode ser que seu pastor tenha traído a confiança que a família dele e a congregação lhe dedicaram, mas não é verdade que todo pastor fará isso. E pode ser que as pessoas se mostrem desleais, mas não é verdade que Deus seja assim.

A luta contra o cinismo é uma luta para conseguir ver beleza e graça. Uma forma de lutar contra essa tentação é renovar nossa mente: substituir pensamentos intrusos por pensamentos verdadeiros. Busque a beleza. Busque o bem. Veja as coisas adoráveis que Deus criou. Elas estão por aí, basta ver. Jesus deu a você e a mim um meio de escapar de nosso cinismo; podemos escolher ver o bem nos outros e nas circunstâncias (1Co 10.13).

Então, em termos práticos, como combater o cinismo? Paulo começa o último capítulo de Filipenses expressando seu sincero e profundo amor pela igreja em Filipos. Depois do primeiro versículo, ele se dedica a tratar de duas mulheres dessa igreja, Evódia e Síntique (Fp 4.2), que tinham se envolvido em um conflito. Não sabemos detalhes, mas deve ter sido algo bem relevante para merecer lugar não só na carta de Paulo à igreja como também na própria Palavra de Deus. Esse é um bom exemplo de que um episódio aparentemente insignificante importa; por isso, devemos estar atentos.

Desconhecemos os pormenores da situação, mas sabemos que Paulo suplicou a Evódia e Síntique que resolvessem seu desentendimento tendo em vista que estavam "no

Senhor" (Fp 4.2). Paulo desejava que elas partilhassem uma só mentalidade, um só amor, em pleno acordo; esse era o desejo dele para toda a igreja (Fp 2.2). Essas duas mulheres precisaram da intervenção de um terceiro para ajudá-las a se reconciliar. Isso revela a importância da comunidade na vida dos que creem. Não damos conta de lidar com nossas lutas sozinhos, necessitamos do auxílio de irmãos cristãos que sirvam de mediadores, que encorajem, exortem e nos apoiem. Focar-nos em nossas próprias ideias não é suficiente; garantir que estejamos inseridos num contexto comunitário é o que nos mantém na jornada.

Talvez Paulo almejasse ver as duas mulheres unidas em razão da parceria que tinham na proclamação do evangelho (Fp 4.3). Mas acho particularmente interessante a instrução dele depois desse primeiro parágrafo em que as incita à reconciliação: ele exorta a igreja a se alegrar, a ser sensata, a resistir à ansiedade, a orar e agradecer (Fp 4.4-6). Sua última orientação refere-se à mentalidade da igreja, visto que ele recomenda que se concentrem no que é verdadeiro, nobre, correto, puro, amável, admirável, excelente e digno de louvor (Fp 4.8).

Por que Paulo instruiria duas irmãs quanto ao modo de pensar logo depois de abordar um conflito entre elas? Pensemos em nossos próprios conflitos. O que acontece em sua mente quando você se desentende com alguém? Quanto a mim, sei que posso ser tentada a fazer o oposto daquilo que Paulo incentiva a fazer. É preciso muito esforço para agir de forma sensata e empenho ainda maior para cultivar pensamentos verdadeiros. O que é amável e admirável? Uma atitude de autocontrole, amor e apoio mútuo não ocorre sem a ação do Espírito Santo.

A instrução do apóstolo aos filipenses cabe a nós também. Devemos trabalhar para ocupar nossa mente com pensamentos verdadeiros, puros e nobres. Quando nos unimos aos outros e ao mundo à nossa volta, lembramo-nos disto: "Perto está o Senhor" (Fp 4.5, RA). Deus não recolheu sua mão e também não nos deixou. Porque sabemos que ele está trabalhando ativamente em todas as situações, podemos submeter a ele nossos pensamentos ansiosos. Fixar nossa mente nele pode trazer-nos a paz "que excede todo entendimento" e guarda nosso coração e nossa mente em Cristo Jesus (Fp 4.7).

De que maneira podemos combater o cinismo baseando-nos nesse contexto (a queda de um pastor) e aplicando Filipenses 4? Deixo aqui três possibilidades:

- *Declarar tudo o que é verdadeiro.* Nem todos os líderes cometem adultério ou têm vida dupla.
- *Declarar tudo o que é nobre.* Se a igreja ou seus líderes lidarem adequadamente com a situação, agradeça a Deus.
- *Declarar tudo o que é justo.* A vingança pertence ao Senhor, e toda pessoa que já passou por esta terra terá de prestar contas. Não preciso me apegar à amargura como forma de punir alguém ou alguma instituição.

E por aí vai.

Podemos praticar esse exercício em muitas circunstâncias a fim de que ele nos ajude a guardar a mente e a direcioná-la a pensamentos verdadeiros, que vão ampliar nosso afeto pelo Senhor e proteger nossos passos. Se desejamos perseverar, devemos lutar contra a tentação do cinismo, que não parece perigoso até que se revele como tal. Você e eu podemos pedir ao Senhor que nos ajude a colocar a mente nas coisas do alto

(Cl 3.2). Parte da atitude de guardar a mente e amar a Deus com tudo o que há nela corresponde a aumentar o que sabemos sobre Jesus e considerar os grandes feitos de Deus. Pense nele quando você se pegar questionando se há algo de bom e digno nesta vida. *Ele* é a resposta.

Afastando a complacência

Outra área que ameaça nossa fé e é pouco comentada é a *complacência*. Há quem a associe aos atos que praticamos, mas ela começa em nossa mente. Por definição, complacência é "um sentimento de presunção ou satisfação acrítica para com os próprios atos ou os de outros".[5] O que pensamos acerca de nós mesmos e acerca de Deus afeta sobremaneira nossas ações. Se você acha, por exemplo, que "chegou lá", que alcançou a perfeição intelectual e espiritual, não é propenso a estudar a Palavra de Deus. Ou, talvez, até a estude, mas na intenção de aprender sobre Deus e orar para que a Palavra transforme sua vida de modo que você possa se gabar disso.

E por que isso é uma ameaça? Porque o orgulhoso não precisa de Deus. É difícil mostrar-se vulnerável e dependente de Deus quando se é seguro de si e autossuficiente. Por exemplo, Isaías advertiu as mulheres de Jerusalém contra a complacência: elas haviam se acomodado na autossatisfação; arrogantes que eram, foram chamadas ao arrependimento (Is 3.16-17; 32.9-20).

Muitos dos complacentes talvez nem mesmo percebam que são assim. O tipo de complacência a que me refiro raramente se parece com orgulho. Não tem a ver com sair por aí lançando versículos bíblicos ou julgando arrogantemente as pessoas. Ela pode se manifestar como o hábito de "fazer as coisas por fazer", isto é, realizar tudo aquilo que externamente aparenta ser piedoso e que "se espera" de nós, porém tendo o coração distante do Senhor.

A igreja em Sardes vivia de modo complacente e não se dava conta disso. As palavras de João nos ajudam a notar, mediante as palavras de Jesus, o erro desses irmãos: "Sei de tudo que você faz. Você tem fama de estar vivo, mas está morto. Desperte! Fortaleça o pouco que resta, pois até mesmo isso está quase morto. Vejo que suas ações não atendem aos requisitos de meu Deus" (Ap 3.1-2) Eles pensavam estar vivos e bem-sucedidos, mas não era o caso. Jesus os orientou a lembrar-se da mensagem graciosa que receberam, a preservá-la e a arrepender-se (Ap 3.3). Estavam fazendo as coisas por fazer e haviam esquecido tanto a mensagem quanto o mensageiro. Em termos de cultura, eram bons, mas estavam espiritualmente mortos.

Oro contra isso e me mantenho vigilante à medida que educo meus filhos. Não cresci num lar cristão; portanto, quando me converti, já adulta, tudo me parecia novo, vívido e empolgante. Mas meus filhos estão crescendo num lar cristão, então precisamos nos prevenir contra a complacência. Eles são familiarizados com a Bíblia, com a igreja e com tudo o que diz respeito à fé cristã. Oro para que se deixem cativar por Deus, para que envelheçam apaixonados por Jesus. Mas sei que essa será uma luta. Talvez você se identifique com isso.

Certa vez, uma amiga compartilhou comigo que estava entediada com a vida cristã. Ela se sentia envolta em sequidão. Ia à igreja, mas, ainda assim, começou a achar isso um peso. Sob vários aspectos, para além dos efeitos do cinismo, ela estava um pouco cansada, e se perguntava: "Qual o sentido de tudo isso?". Havia duas razões principais para sua complacência: (1) ela era extremamente atarefada, pelo que as aparentes manifestações de sua fé não passavam de mais um item em sua lista de afazeres; e (2) achava que não havia nada mais a aprender.

Possivelmente, o cinismo seja alimentado por uma falsa noção acerca de como a vida deve ser vivida. O ideal americano nos vende a perspectiva de uma vida cheia de aventuras, diversão e empolgação. Somos movidos por *slogans* vazios como "Trabalhe bastante para curtir bastante" e "Agarre a vida pelos chifres". Mas, com frequência, viver tem mais a ver com limpar banheiros e pagar boletos. E, em nossos momentos de estudo bíblico na presença do Senhor, é pouco provável que sejamos levados ao terceiro céu. Em geral, neles exploramos, lemos e aprendemos coisas que já vimos antes. A Bíblia não é enfadonha — por favor, não me interprete mal —, mas, quando experimentada na vida cotidiana, ela se mostra simples, modesta.

A vida cristã é prosaica. Repetimos as mesmas coisas dia após dia. Porém, é uma vida abundante, não por haver aventuras ou diversões, mas porque temos Cristo. Como afirmou Thomas Chalmers em um sermão sobre bem viver: "O coração não é absolutamente estável, e a única forma de destituí-lo de um antigo afeto é mediante o poder expulsivo de um novo".[6]

Ao longo dos últimos anos, à medida que a tecnologia foi invadindo cada vez mais a minha vida, meu telefone celular se tornou uma estranha fonte de conforto, curiosidade e afeto mal direcionado. Com o clique de um botão, posso acessar velhos e novos amigos, pessoas com que já tive algum tipo de contato, noticiários, fofocas deploráveis, e muito mais. Chegou um momento em que percebi que meu apego por ele havia substituído meu interesse pela leitura matinal da Palavra de Deus. Em vez de ler, eu preferia checar o celular e, quando dava por mim, já passara da hora de tocar o dia em frente.

O telefone era algo banal, mas tinha ocupado o tempo mais precioso de que eu dispunha com o Senhor. Tive de substituir aquele afeto por um novo (ou, devo dizer, renovado) apreço por Deus, o que significou exercer o autocontrole durante as manhãs e esperar para checar o celular. Tendo me desvencilhado daquele antigo afeto, o Senhor moveu meu coração uma vez mais para que passasse um tempo matinal em sua companhia. Deus me deu um novo afeto.

Esse exemplo do telefone pode ser simples, não parecendo de fato uma ameaça à nossa corrida. Contudo, por vezes, são as coisas simples, corriqueiras e banais da vida, como a distração ao celular, que nos privam daquilo que outrora foi o nosso primeiro amor. Para combater a complacência, precisamos renovar nosso apreço pelo Senhor. Podemos não ter palavras eloquentes, mas podemos simplesmente rogar: "Senhor, faze de ti o meu primeiro amor. Dá-me o desejo por ti e faze-me saber que já tenho o teu afeto".

O chamado do alto

Tanto o cínico quanto o complacente — e todos nós — podemos nos beneficiar do exemplo de Paulo e de suas advertências em Filipenses 3. Ele alertou os filipenses quanto ao cuidado em relação àqueles que aparentavam obedecer à lei, mas não adoravam a Deus: eram pessoas que confiavam "na carne" (Fp 3.2-3, RA). Em seguida, listou todos motivos pelos quais o mundo e a sociedade de sua época poderiam confiar nele: ele era o suprassumo de seu tempo, religioso, perseguidor, de linhagem perfeita (Fp 3.4-6). Mas nada disso importava; nenhum reconhecimento mundano tinha valor quando comparado ao conhecimento de Cristo. Ele considerava essas coisas lixo (Fp 3.8). Uma vez convertido ao cristianismo, ele perdeu todo o *status* social de que desfrutava. Ele perdeu *tudo* isso; todo o seu prestígio se desfez por completo.

E toda essa perda foi uma conquista. Paulo queria ser achado em Cristo. Sabia que sua retidão não se baseava em boas obras, mas na retidão do próprio Deus. O apóstolo desejava participar da corrida que lhe fora proposta. Desejava conhecer o poder da ressurreição de Jesus e tornar-se como seu Salvador, a despeito do sofrimento que isso demandasse (Fp 3.11).

Anseio conhecer a Cristo, e somente ele, como Paulo ansiou. Parece ter havido em sua alma um profundo clamor por estar com Jesus. Seria fácil para Paulo tornar-se arrogante. Ainda que tenha sido pouco valorizado pela sociedade após converter-se, foi um líder da igreja do primeiro século. Lemos no versículo 12: "Não estou dizendo que já obtive tudo isso, que já alcancei a perfeição. Mas prossigo a fim de conquistar essa perfeição para a qual Cristo Jesus me conquistou". Paulo não era perfeito; ele corria na direção de algo. Ele encontrava naquela perda motivação para empenhar-se rumo a alguma coisa, a alguém: "prossigo para o final da corrida, a fim de receber o prêmio celestial para o qual Deus nos chama em Cristo Jesus" (Fp 3.14).

Há um prêmio à nossa espera. Paulo correu sua corrida olhando para esse prêmio. Vamos explorar melhor essa recompensa no capítulo 12, mas Paulo explica que quem alcançou a maturidade precisa crescer em Cristo e continuar aprendendo e se arrependendo (Fp 3.15). Ainda não chegamos lá, não somos perfeitos e jamais seremos até o dia em que virmos Jesus face a face e conquistarmos o prêmio. Paulo prosseguia para esse alvo: corpo ressurreto e glorificado, pleno do entendimento e do louvor de nosso Salvador por toda a eternidade.

Deixe que essa visão e esse conhecimento de nosso Senhor Jesus Cristo o motivem a lutar e a prosseguir na direção desse chamado do alto. Estamos numa corrida, e a linha de chegada está mais perto do que podemos imaginar. Contudo, precisamos alcançá-la.

Paulo encerrou o capítulo com um sóbrio aviso pelo qual os mundanos entre os filipenses não terminariam a corrida bem: "Estão rumando para a destruição. O deus deles é seu próprio apetite. Vangloriam-se de coisas vergonhosas e pensam apenas na vida terrena" (Fp 3.19). Eles tinham um problema, o qual lhes ocupava a mente. Eles precisavam de um novo afeto.

Para os que de fato creem, nossa cidadania está no céu (Fp 3.20). Concentrar-se em qualquer outra coisa nos levará ao desespero e à falta de coragem — e, também, para longe de nosso Salvador. O lugar onde colocamos o foco conta. Pense nas coisas do alto. Pense em quem você será quando estiver lá. Não é egoísmo ansiar pelo dia em que já não teremos esse corpo frágil, danificado. Teremos corpo glorioso e mente gloriosa; deixaremos de ser fragmentados e arruinados. Nossa mente terá clareza; já não será turva e confusa.

Consegue imaginar como será desfrutar de pleno esclarecimento? Não se desesperar mais? Jamais decepcionar a si mesmo ou aos outros? Desânimo, nunca mais. Falta de coragem, nunca mais. Cinismo e complacência, nunca mais. É isso o que devemos almejar. Porém, não precisamos esperar até aquele dia para meditar nessa realidade. Podemos pensar nela agora. Desejo ter pensamentos amadurecidos, ou seja, ter uma mente fundamentada nas coisas do alto. Firmar nossa mente em Jesus e no prêmio para o qual prosseguimos faz com que tenhamos maior resistência em nossa corrida.

Renovando nossa mente

Paulo incitou os cristãos em Roma a não se conformarem com este mundo, mas a se deixarem transformar pela renovação da mente (Rm 12.12). R. C. Sproul comentou isso dizendo: "Percebemos que o cristianismo é uma fé relacionada tanto à mente quanto ao coração. Quando confiamos em seu Filho, Deus não ordena que submetamos a ele nossa racionalidade; na verdade, somente servindo a Cristo é que usamos nossa mente segundo aquilo para que Deus a criou".[7]

Nossa mente foi criada para adorar a Deus; esse sempre foi o intento dele para nós. Embora saibamos que tudo o que há de errado um dia será corrigido, não devemos esperar até aquele dia para começar a renovar nossa mente.

Hoje, você e eu podemos iniciar essa renovação — seja pela primeira vez, seja pela centésima — preenchendo a mente com as promessas de Deus. Nada do que eu disse até aqui e do que vou dizer adiante terá relevância se não meditarmos na Palavra dia e noite (Sl 1.2). Você vai precisar gritar ao seu coração e à sua mente para convencê-los de que buscar a Jesus com tudo o que se tem não é legalismo; em muitos aspectos, é sobrevivência. Comprometamos nossa mente a essa corrida de resistência.

Uma amiga minha estava na cidade onde moro, tendo vindo para um congresso. Em questão de instantes, tudo o que ela planejara para o dia, para o futuro, para a vida foi posto em xeque. Uma decisão que levou menos de um segundo, relacionada ao ato banal de dar um passo do meio-fio à calçada, a deixou entre a vida e a morte. Ela foi atropelada por um ônibus.

Situações inesperadas nos afetam e afligem o tempo todo. Você já ouviu histórias sobre isso e, quem sabe, as conhece por si mesmo. Num dia você está aparentemente bem, saudável, sem nenhum sinal de que haja algo errado, e no outro, depois de um exame ou *check-up* rotineiro, recebe o diagnóstico de uma doença que ditará como serão os próximos anos de sua vida ou, potencialmente, o levará para junto do Salvador. Num instante, tudo muda.

Vivenciei essa verdade desoladora com familiares e amigos. É difícil entender o que se passa. Para mim, a dor física é penosa, mas contornável mediante o uso de remédios. De novo, é na mente que a luta ocorre.

"Onde estás, Senhor?"

"Por que permitiste que isso acontecesse comigo?"

"Vou sair dessa?"

"Serei a mesma depois disso?"

Talvez alguns desses pensamentos estejam afligindo você hoje mesmo.

A mente nos ajuda a processar não apenas o que acontece em nós, mas também o que acontece conosco. A maneira como respondemos às diversas provações depende dos nossos pensamentos. Recentemente, tive uma oportunidade de ensinar meu filho na qual percebi quanto nossas experiências podem nos afetar por toda a vida.

Estando o planeta inclinado o bastante para fazer com que sempre sopre ar quente sobre a região onde moramos, nossos filhos não desgrudaram de suas bicicletas até que o sol se pusesse. Uma chuva forte chegou a fazer com que voltassem para casa, mas não nos admiramos do fato de eles terem saído de novo assim que a luz irrompeu nas nuvens mais uma vez. O único problema era que nenhum deles estava acostumado a pedalar sobre chão molhado. Do nada, ao fazer sua curva favorita, meu filho de 6 anos perdeu o controle e a roda da bicicleta derrapou no cascalho. O garoto despencou no chão.

Quando ele entrou em casa — sujo, machucado, sentindo-se humilhado e dolorido —, o pai não lhe disse "Engole o chore, filho. Deixa isso pra lá e pare de resmungar". Não. O pai lhe perguntou se ele estava bem, consolou-o, aplicou curativo em seu joelho e o aprontou para que retomasse a brincadeira.

Mais tarde, falei com meu filho sobre o que ocorre quando pedalamos em chão molhado — em resumo, eu lhe disse: "Vá devagar". Falei que adoraria pedalar com ele quando o chão lá fora estivesse seco. Eu queria encorajá-lo a persistir, a aprender a prosseguir, a não desistir diante da adversidade. Claro, daquela vez ele havia apenas batido o joelho, mas havia levado um bom tempo para que voltasse a pedalar depois do primeiro acidente de verdade.

Assim que terminei minha fala, ele respondeu: "Mal posso esperar para pedalar com você!".

Uau!

Apesar de aquele pequeno incidente não ter sido sério, a vida está sempre nos dando chances de refletir nos ensinamentos do Senhor, no caso, sobre sofrimento e perseverança. Aquilo foi como uma parábola moderna que me fez lembrar das palavras de Paulo, guiado pelo Espírito Santo:

> Também nos alegramos ao enfrentar dificuldades e provações, pois sabemos que contribuem para desenvolvermos perseverança, e a perseverança produz caráter aprovado, e o caráter aprovado fortalece nossa esperança, e essa esperança não nos decepcionará, pois sabemos quanto Deus nos ama, uma vez que ele nos deu o Espírito Santo para nos encher o coração com seu amor.
>
> Romanos 5.3-5

Podemos ler esses versículos e achar que o mandamento é que nos sintamos felizes e empolgados diante do sofrimento;

mas a ideia de alegrar-se na aflição é absurda ao extremo. Outros podem considerar tosco e fantasioso esse modo de abordar os desafios reais que acompanham o sofrimento. Podemos até citar a Bíblia contra ela mesma: "Você quer dizer chorar com os que choram, certo? Mas Paulo não disse que devemos nos alegrar nas adversidades porque elas produzem satisfação e contentamento?". Não. Nós nos alegramos no sofrimento por que ele produz caráter, a saber, o caráter de Cristo. O curioso é que essa mudança de caráter de fato produz contentamento, mas nossa alegria se baseia sempre em Cristo, não no que sentimos.

A perseverança como dom de Deus

O sofrimento produz a perseverança necessária para seguirmos adiante em fé enquanto aguardamos o dia em que não mais sofreremos. Perseverar não significa ignorar a dor nem os problemas. Ao aprender a resistir em meio à aflição, descobri como assumir a realidade da dor e prosseguir na força que vem de Deus. Quando Deus diz que, em nossa fraqueza, somos fortes, é isso mesmo o que ele quer dizer. Perseverar no sofrimento não tem a ver com livrar nossa pele por conta própria; em vez disso, trata-se de cair nos braços de nosso Pai a fim de receber suporte em tempos de necessidade. Perseverar no sofrimento nos ajuda a resistir.

Em períodos de provação, nossa confiança deve ser depositada exclusivamente no Senhor. Nosso Senhor, nossa verdadeira esperança, não nos deixará envergonhados. Depois do incidente de meu filho com a bicicleta, meu esposo poderia ter dito algo que o fizesse sentir-se fraco e incapaz. Poderia ter zombado dele por pedalar sob a chuva. Embora o menino não fosse responsável pela queda, foi dele a decisão de pedalar em condições inadequadas.

Muitas vezes, castiguei meus filhos por tomarem decisões insensatas. O castigo que de fato merecemos em razão de nossos pecados foi cumprido na cruz. Jesus tomou sobre si o castigo destinado a cada um de nós (Is 53.5). Assim, ao sofrer e resistir às provações, sabemos que não seremos expostos à vergonha. Podemos ter esperança porque conhecemos o final da história. Sabemos que, um dia, toda nossa dor e aflição se extinguirá. Nossa fé está em Jesus e na obra que ele completou.

Portanto, alegramo-nos por confiar que o que Deus diz em sua Palavra é verdadeiro. Alegramo-nos por saber que o sofrimento produz caráter e, para nossa esperança, o Senhor não nos deixará envergonhados. Alegramo-nos por saber que a alegria não tem relação com nossos sentimentos ou capacidade de realização. Em lugar disso, tem a ver com descansar em Jesus e lembrar da alegria que nos espera. Fixamos os olhos em Jesus porque ele sofreu em nosso favor e, sendo nosso modelo perfeito, também olhou na direção da alegria que lhe fora proposta (Hb 12.2). Nossa alegria pode até não vir pela manhã; talvez leve anos até que consigamos nos contentar em nosso sofrimento. Deus é paciente. E nosso objetivo é expressar alegria, mesmo que seja um dolorido "Aleluia!" entre muitos pedidos de socorro. "Tu guardarás em perfeita paz todos que em ti confiam, aqueles cujos propósitos estão firmes em ti" (Is 26.3).

Correndo na companhia da dor

Meu amigo Andrew, hoje com 34 anos, recentemente me contou o que diria ao rapaz que fora aos 16 anos, havendo retomado lembranças doídas de um horrível acidente com esqui que quase lhe tirara a vida: "Não há dúvida de que a situação em que você está é indizivelmente difícil, mas Deus é capaz de usar circunstâncias como essa para ensinar-lhe coisas que você talvez não aprendesse nos próximos dezesseis ou dezessete anos. Não há como prever. Não estou subestimando o peso da sua dor, mas nunca vi Deus deixar de usar uma situação para ensinar algo aos envolvidos".

Andrew diria que o que lhe aconteceu aos 16 anos moldou de forma singular o homem que ele é hoje. À época em que cursava o ensino médio, estava bastante envolvido com esportes. Correr era sua paixão, mas ele extrapolava isso e dizia que a corrida era sua identidade. Acreditava que um dia, na faculdade, correria tão bem a ponto de obter uma bolsa de estudos. Quando já era excelente na corrida, um dia decidiu experimentar um esporte diferente e foi esquiar com amigos. Nunca esquiara antes, então seria uma aventura e tanto.

Em 18 de abril de 2001, ao esquiar em uma montanha de dificuldade média, Andrew perdeu o controle e chocou-se contra uma árvore. "Bati em uma árvore a alta velocidade. Como levantei o braço para proteger a cabeça, boa parte do impacto da batida se concentrou em meu abdome", recorda-se. Surpreendentemente, nenhum osso se quebrou, mas Andrew teve hemorragia interna e lesionou o fígado. "Fiquei alerta e consciente por cerca de cinco ou dez minutos. Depois disso, tive uma isquemia, uma queda na irrigação sanguínea. Entrei em estado de choque."

Lembrou-se da dor extenuante. Passou 44 dias em um hospital, 27 deles sob cuidados intensivos, enfrentou oito cirurgias no fígado e duas semanas em coma induzido. Teve de reaprender a andar. "Deixei de ser alguém que corre trezentos metros por minuto para ser alguém cujas pernas se parecem com troncos de árvore". E não apenas seu corpo foi afetado, mas também sua mente, pois ele sofreu estresse pós-traumático durante todo o ensino médio. "Eu era um desastre emocional", explicou. Mas, ainda que fosse difícil enfrentar um estresse desse tipo, ele poderia facilmente ter tido uma lesão cerebral irreparável, pois ficara mais de quatro minutos sem oxigenação nessa região. "A corrida literalmente salvou minha vida, pois garantiu a quantidade de oxigênio que eu tinha no sangue", disse.

Andrew estava acostumado a lidar com certo nível de dor. Havia aprendido a resistir e perseverar, além de mostrar tenacidade para lidar com as situações. O que ele não sabia era que um episódio que duraria uma fração de segundo o levaria ao coma, a uma recuperação que se estenderia por anos e a um desconforto por toda a vida. "Para correr, é preciso lidar com a dor. Não é que atletas de resistência sentem menos dor; eles aprendem a lidar com ela e a enfrentá-la." O interessante é que Andrew comentou que um elevado número de esportistas já experimentou algum trauma. "Seguimos em frente porque há dor e beleza. Submetemos nosso corpo à dor. Existe uma dimensão da capacidade humana em que experimentamos alegria na exaustão da corrida."

Essa perspectiva sobre as coisas, o suporte e o cuidado de sua então namorada, hoje esposa, Christian, e o apoio de sua igreja e amigos ajudaram Andrew a recuperar-se de modo milagroso e a retornar para o esporte que tanto aprecia. O acidente o deixou com diástase no reto abdominal (carência de músculos na parte baixa do abdome), neuropatia e curvaturas nos dedos dos pés. Em sua primeira corrida depois do acidente, lembrou-se de que, se conseguisse correr por trinta minutos, seria como concluir uma maratona. Ele conseguiu e, apesar do cansaço e da dor, sentiu-se extasiado.

Em janeiro de 2014, Andrew já corria periodicamente. Em dezembro daquele ano, passou por uma cirurgia crucial de reparação dos dedos dos pés; foi um procedimento de reconstrução que lhe permitiu voltar a correr com regularidade.

Desde então, com o incentivo, as orações e a parceria de Jimmy, seu grande amigo e parceiro de corrida, Andrew correu meias maratonas e maratonas completas. "Jimmy fica muito entusiasmado ao me impulsionar a correr, ao ajudar as pessoas a terem êxito", comentou. "Agostinho fala sobre ter os afetos devidamente ordenados. Consegui identificar algo que amo e dedicar-me por inteiro a isso. Se o que amamos é verdadeiramente amável e bom, produzirá alegria. Encontrei afetos que são dignos de afeição por si sós, pois testificam, tanto física quanto intelectualmente, a intenção de Deus para nós."

Andrew afirma que sempre teve uma fé inabalável em Deus. "Nunca senti como se Deus não estivesse comigo. Não é necessário convencer ninguém a fazer algo que ame fazer. A pergunta, então, é: esse feito é digno de amor? As pessoas persistirão quando encontrarem aquilo que amam."

Perseveramos na fé porque encontramos o que é digno do nosso amor.

6
A sociedade e o mundo em que vivemos

....

Sempre acho curioso o fato de o Senhor ter escolhido me colocar neste exato local e tempo histórico. E se tivéssemos nascido em outra época? O que estaria acontecendo? Mesmo com todos os progressos e reinos e povos que atravessaram a história, há um tema recorrente em todos os tempos: as tribulações que acometem o mundo. Existe guerra, divisão e desordem desde Gênesis 3. Portanto, não me surpreende que experimentemos mais do mesmo em nossa cultura (1Pe 4.12). Ainda assim, precisamos aprender a resistir a essas coisas, pois elas afetam a corrida que nos foi proposta.

Vivendo num mundo virtual

Quando comecei a usar as redes sociais, por volta de dez anos atrás, elas me pareceram um lugar descontraído para compartilhar ideias e encorajar pessoas. Talvez todos estivéssemos pensando isso naquela época, mas, como ocorre com tantas coisas boas, acabou. Não, as redes sociais não estão decaindo nem perdendo popularidade; elas não acabaram. Na verdade, o bem que era tão amplamente compartilhado sofreu uma drástica reviravolta. Muito de nosso mundo virtual é repleto de acidez, ódio, difamação, falso testemunho e, de vez em quando, vídeos de gatinhos. E isso não é coisa "do mundo", como poderíamos alegar — são cristãos destroçando uns aos outros.

As redes sociais têm nos impactado de maneiras que de fato demoraremos anos para compreender. E o que me preocupa não é nosso vício nessas redes, embora haja muito com que nos preocupar nesse sentido. Não é o potencial de selecionar partes de nossa personalidade nem de mostrar apenas os bons momentos. Minha preocupação é com a retórica: o modo como abordamos uns aos outros tem causado enorme dano ao nosso testemunho cristão e à nossa alma.

Recentemente, falei com uma mulher que manifestava o desejo de conhecer o Senhor, mas não estava certa quanto a frequentar uma igreja. Expliquei que ela talvez se interessasse em encontrar uma boa congregação, mas, antes de eu terminar meu raciocínio, ela disse em tom exasperado: "Bem, eu vi, em uma rede social, um pastor dizer algo vulgar e hostil, e decidi não pisar lá". Ela não se referia à igreja que eu estava prestes a lhe sugerir, mas a vivência dela com os ataques cristãos na internet havia bastado para que ela se negasse a buscar uma igreja — talvez qualquer igreja.

Claro, pastores não são os únicos a proclamar "Jesus é tudo para mim" em seus perfis e "Odeio todo mundo" em suas *timelines*. É algo fácil e rápido essa coisa de digitar aquilo que pensamos, com pouco ou mesmo nenhum cuidado quanto ao impacto que as palavras terão no mundo que nos lê. Já fiz isso. Tive de voltar atrás e apagar coisas que escrevi no calor da raiva ou da ignorância. Consideremos este alerta em Provérbios: "Quem fala demais acaba pecando; quem é prudente fica de boca fechada" (10.19). Isso não significa que devamos nos reunir por aí em silêncio; significa que ponderamos nossas palavras.

Um modo de combater a tentação de expressar ódio e semear a discórdia por meio das palavras que publicamos nas redes sociais é não se apressar em falar (Tg 1.19) e transbordar em amor. Há ocasiões em que silenciar e ouvir são o melhor testemunho que você e eu podemos dar nas redes sociais. Não temos de nos lançar em toda e qualquer controvérsia. Somos livres para fazer perguntas difíceis antes de manifestar nossa opinião. Somos livres para viver "de modo a sempre honrar [...] ao Senhor" (Cl 1.10). E, quando de fato falamos, podemos fazer isso pelo poder e pela graça de Deus, com verdade e também com amor (Ef 4.15).

É difícil perseverar quando se está constantemente aborrecido com a igreja por causa do que se vê ou com que se envolve na internet. Defendo que devemos adquirir conhecimento, manter-nos informados e acompanhar o que se passa no mundo. (Certa vez, um amigo me disse: "A ignorância não é uma bênção; é só ignorância mesmo".) Todavia, diante do volume de informação que consumimos diariamente, eu me pergunto se ainda é possível nos sentarmos para assistir a um pôr do sol isentos de preocupações e pensamentos dispersos. Somos capazes de parar e apreciar o que há à nossa volta? Será que conseguimos calar nossa mente? A resposta pode ser "às vezes", mas é mais provável que seja "é raro". Não são apenas os acontecimentos do mundo que mantêm nossa mente girando; também temos compromissos corriqueiros, projetos inacabados, relacionamentos despedaçados, apreensão quanto às finanças... A lista vai longe, pois as preocupações deste mundo são muitas.

Muitas opiniões, muitos fardos

A internet nos possibilitou revelar nossa posição quanto a assuntos de cunho social, o que teve grande efeito na igreja. Tive minha cota de percalços neste mundo, em particular com relação a questões raciais. Sou uma mulher afro-americana que mora no sul dos Estados Unidos, características que têm me dado grande alegria e, por vezes, bastante dor.[1] Para muita gente, é fácil assumir que, se lá se vão sessenta anos desde o movimento pelos direitos civis e se as leis mudaram, está tudo resolvido. Já me disseram que se eu parar de discutir, escrever e falar sobre questões raciais, os problemas desaparecerão.

O conceito de raça é um dos temas mais discutidos que há. A maioria das pessoas tem opinião sobre ele, e essas opiniões vão longe. Mas, para mim, é mais que um tema de discussão. Questão racial, reparação racial, equidade racial — qualquer que seja o nome — diz respeito ao fato de pessoas serem feitas à imagem de Deus. E esse não é um assunto que eu possa simplesmente ignorar. Na condição de mulher negra em espaços predominantemente brancos, deparo com a realidade da minha etnia todo santo dia. Não é algo ruim em si; é simplesmente um fato. Não raro, ao entrar em uma sala, descubro que não há ninguém ali que se pareça comigo.

"Já tivemos o movimento pelos direitos civis e, com certeza, a questão racial agora é passado", ouvi uma vez. Em resumo, minha resposta a essa afirmação é: "Não, esse assunto não é passado". As pessoas são bem desinformadas quanto às batalhas de muitos membros de nossa sociedade. Um dia desses, compartilhei uma foto em que estou com meu marido (que é branco) e por meio da qual lamentávamos e celebrávamos o quinquagésimo aniversário da legalização do casamento inter-racial. Muitos dos meus amigos não sabiam que algo tão significativo quanto o casamento entre pessoas de raças distintas um dia já foi ilegal nos Estados Unidos (e isso foi há meros cinquenta anos). Penso que aqueles que se conscientizaram desse fato alcançaram profundo entendimento da dor que muitos afro-americanos continuam a experimentar nesse país. Cinquenta anos não é tanto tempo assim.

Por que falo isso aqui e agora num livro sobre perseverar na fé? Minha provação, por assim dizer, tem sido resistir tanto na igreja evangélica quanto em nossa sociedade, que vêm mostrando suas cartas. Redes sociais, gravações em vídeo e afins têm exposto nossa cultura pelo que ela é. Experimentei racismo ostensivo quando mais jovem, mas isso foi no Sul, onde a polidez reina, ainda que seja falsa. Não se tratava de algo tipicamente hostil. (Contudo, certa vez uma amiga e eu estávamos andando na rua quando um homem atirou um tijolo em nossa direção gritando algo explicitamente racista.) Ao longo dos últimos anos, porém, integrantes de grupos supremacistas brancos têm me assediado nas redes sociais e em *sites*, dirigindo xingamentos a mim. Temos atravessado tempos turbulentos, e, agora, é mais fácil causar mal aos outros.

Vivemos num mundo agitado, numa época agitada. Você pode estar inquieto quanto a alguma coisa agora mesmo. Quando desviamos os olhos de Deus e de seu Filho, podemos facilmente cair em desespero. Seria um equívoco afirmar que estamos experimentando um dos períodos de maior segregação racial na história. Mas quem nasceu entre os anos 1970, 1980 ou 1990 sente esse peso da divisão racial. Tudo é discutido, tudo é compartilhado, tudo tem vindo à tona.

Meu foco aqui é a questão racial, mas podemos tranquilamente substituí-lo por política ou qualquer outro assunto polêmico em nossa cultura e haverá divergência e acidez semelhantes. O mais difícil, talvez, seja a mágoa relacionada ao fato de pessoas conhecidas manifestarem coisas nas quais você jamais imaginou que elas acreditassem. Também sei que a divisão e a dor não estão no mundo lá fora apenas, mas também dentro da igreja.

Em uma recente entrevista sobre a questão racial, fui indagada sobre como me preservo contra um possível *burnout* e como faço para me sentir encorajada. Minha resposta foi simples: "Eu paro". Por um tempo, paro de pensar sobre os assuntos em pauta. Não os esqueço e não finjo que não existem. Mas há momentos em que, para alcançar paz verdadeira e duradoura, precisamos compreender que não vivemos para carregar fardos. Levar nossos pensamentos cativos é uma forma de cuidar de nossa alma. Não faço isso com perfeição, e nunca farei. Entretanto, refrear-me é uma prática que me faz lembrar que não sou Deus. Ele deseja levar tudo que faz minha mente girar. Então, quanto antes eu paro, antes o giro cessa dando lugar à paz. Recebo a graça de poder pensar com clareza e me lembro de Deus.

Tenha bom ânimo

Provas e tribulações não eram estranhas a Paulo; uma parada em Listra quase pôs fim à sua vida. Estando ele naquela cidade, os judeus, justamente seu povo de origem, se reuniram em uma multidão e o apedrejaram por pregar o evangelho. Depois de arrastá-lo para fora da cidade, pressupondo que estivesse morto, eles o deixaram ali. Paulo, que não havia morrido, continuou pregando o evangelho com Barnabé, e até mesmo voltou a Listra.

Qual era a missão de Paulo? Duas coisas: (1) compartilhar o evangelho e fazer discípulos; e (2) fortalecer os discípulos a fim de que perseverassem. O que aconteceu em seguida está registrado em Atos 14.21-23:

> Depois de terem anunciado as boas-novas em Derbe e feito muitos discípulos, Paulo e Barnabé voltaram a Listra, Icônio e Antioquia da Pisídia, onde fortaleceram os discípulos. Eles os encorajaram a permanecer na fé, lembrando-os de que é necessário passar por muitos sofrimentos até entrar no reino de Deus. Paulo e Barnabé também escolheram presbíteros em cada igreja e, com orações e jejuns, os entregaram aos cuidados do Senhor, em quem haviam crido.
>
> Atos 14.21-23

Os cristãos recém-convertidos precisavam ser fortalecidos porque enfrentariam tribulações neste mundo. Paulo os encorajou a atravessá-las perseverando na fé, pois ter parte no reino significa enfrentá-las. Jesus advertira os discípulos quanto a isso também, dizendo-lhes: "Eu lhes falei tudo isso para que tenham paz em mim. Aqui no mundo vocês terão aflições, mas animem-se, pois eu venci o mundo" (Jo 16.33). Problemas são parte da vida cristã, mas somos instruídos a ter ânimo. Como manter o coração livre de perturbações? Acreditando e confiando em Deus (14.1).

Parece haver um mote quanto à perseverança na fé. Precisamos ter fé para crer que Deus é quem diz ser e fará o que disse que vai fazer. Então, precisamos descansar nessa verdade. Neste mundo atribulado, você e eu defendemos nosso coração fixando os olhos em Jesus. "Animar-se" significa ser encorajado por algo ou ter paz. Este é o desejo de Deus para nós: que tenhamos paz (Jo 16.33). Podemos sentir ânimo em nosso coração por saber que Jesus venceu o mundo e que nada, coisa alguma, poderá nos separar dele (Rm 8.37-39). Essa segurança permite que descansemos, tenhamos ânimo, sintamos paz e experimentemos a certeza de que Jesus é mais poderoso que o mundo.

Se há problemas perturbando você hoje, eu o encorajo a parar e pedir a Deus que clareie sua mente. Não há solução imediata para batalhas intensas travadas na mente, mas esse esforço em abrandá-la valerá a pena. Talvez parar signifique retirar-se por um momento, não para desconectar-se de sua família ou igreja, mas de todo outro ruído. Deixe de lado o celular e desligue o noticiário. Deus honrará seu ato de fé à medida que você confiar a ele suas preocupações em vez de tentar carregá-las por conta própria. Ele é fiel.

Até que Jesus volte, não veremos solução para essa segregação que se escora na inquietude. Naquele dia, todo caos e toda confusão cessarão como numa freada estridente. Mas devemos tão somente nos resignar em ansiosa espera até que isso ocorra? E se, em vez disso, tomássemos nossa agitação e a transformássemos em prece autêntica? E se tomássemos nossa angústia quanto à segregação racial e a tornássemos em pregação ou texto (ou outra expressão criativa) cuidadosos? E se tomássemos nossa ansiedade e fizéssemos dela um ato consciencioso relacionado à discórdia?

Não, não é uma espera atormentada. Sabemos como será o futuro: no céu não há injustiça. Esse entendimento nos faz perseverar em oração e descanso em Jesus. E oramos para que a vontade dele seja feita na terra como é feita no céu (Mt 6.10). Uma vez que nosso Salvador nos ensinou a orar, pedimos sabendo que Deus ouve nossas preces. Nossa expectativa não está na oração, na pregação ou nas obras que realizamos; está em Deus. Podemos descansar e confiar nele. Olhamos para aquela graça futura e para a esperança de um novo céu e uma nova terra, e assim nos sentimos motivados a trazer o céu à terra agora mesmo.

Por causa dessa esperança, podemos descansar e ter coragem. Juntamo-nos a Davi, que proclama:

> Ainda assim, confio que verei a bondade do SENHOR
> enquanto estiver aqui, na terra dos vivos.
> Espere pelo SENHOR e seja valente e corajoso;
> sim, espere pelo SENHOR.
>
> Salmos 27.13-14

Deus é o bem que admiramos: seu caráter é gracioso e inabalável. E, por estarmos olhando para o Senhor, podemos nos animar e criar coragem em meio a toda confusão e dor.

Acima de tudo, precisamos confiar que em Deus está o nosso futuro. Para um mundo agitado, o porvir não parece nada promissor. Quem observa o panorama de nossa cultura pode achá-lo sombrio. Mas nós, que conhecemos o Senhor, enxergamos com olhos diferentes, cheios de esperança.

Lembre-se de nosso adversário

Quando penso em nossa cultura e sociedade e vejo os enormes dilemas políticos, raciais e tantas outras coisas, recordo-me de que temos um adversário que vibra com todo esse caos. Seria bom que nos lembrássemos de que Satanás existe e quer nos devorar (1Pe 5.8). Sim, toda confusão, desconfiança, ofensa e medo tem a ver com o pecado que habita em nós. Por outro lado, nossa unidade e o amor que temos uns pelos outros como cristãos apontam para algo além de nós, a saber, para o Filho de Deus. Jesus disse a seus discípulos que as pessoas saberiam que eles lhe pertenciam — e também que hoje lhe pertencemos — por causa do amor que dedicamos uns aos outros (Jo 13.35). Então, não há nada melhor que o diabo possa correr atrás para destruir do que o nosso amor.

Satanás não é todo-poderoso. O poder de Deus o expulsou do céu, e, no fim dos tempos, Jesus destruirá suas obras (1Jo 3.8). Mas Satanás tem algum poder, e somos instruídos a nos manter vigilantes e a resistir a ele (1Pe 5.8-9; Tg 4.7). Se queremos perseverar em nossa caminhada em meio à cultura em que estamos inseridos, precisamos ser sagazes e lutar as batalhas certas.

Paulo nos ofereceu um quadro dessa luta. Estas são as palavras finais da carta que ele escreveu à igreja em Éfeso:

> Uma palavra final: Sejam fortes no Senhor e em seu grande poder. Vistam toda a armadura de Deus, para que possam permanecer firmes contra as estratégias do diabo. Pois nós não lutamos contra inimigos de carne e sangue, mas contra governantes e autoridades do mundo invisível, contra grandes poderes neste mundo de trevas e contra espíritos malignos nas esferas celestiais.
>
> Efésios 6.10-12

A vida cristã é uma luta travada no campo de batalha espiritual. Como Paulo escreveu, não lutamos contra carne e sangue, mas contra o diabo. Resistimos às estratégias e mentiras diabólicas quando colocamos sobre nós a armadura apropriada, que consiste no conhecimento de Deus mediante sua Palavra, na justiça provida por Jesus, na fé, no poder do Espírito e na oração (Ef 6.14-17). Nós nos vestimos de tudo o que temos em Cristo e pedimos a Deus que nos ajude a crer em tudo o que nos disse.

Satanás não quer que acreditemos na existência de Deus. Ele prefere que pensemos que a confusão não passa de mal-entendido, ignorância ou cabeça-quente, coisa de gente incapaz de conversar direito. Ele deseja que olhemos uns para os outros e gritemos: "Você é meu inimigo"; quer que nos digladiemos e não que declaremos: "Temos um inimigo" e o combatamos.

As obras satânicas podem assumir diversas formas, mas, por vezes, noto que elas se manifestam em meus pensamentos. Preciso me esforçar para não criar cenários ilusórios nem pressupor, com base em algo que tenha visto, que os outros fizeram o pior que podiam. Preciso lutar para cultivar pensamentos verdadeiros, pois Satanás planta mentiras, e posso facilmente tomá-las por verdade. Por exemplo, se alguém diz algo que julgo insensível, posso fazer pressuposições sobre essa pessoa e sobre o que ela pensa acerca de inúmeras coisas. Posso até responder e reagir a ela sem antes fazer-lhe uma pergunta sequer. Isso pode provocar um conflito desnecessário, uma guerra que terá iniciado em minha mente e acabará me separando de outro portador da imagem divina.

O acusador deseja sussurrar mentiras em seus ouvidos acerca de quem você é em Cristo. Ele sussurra inverdades sobre quem Deus é. Ele lhe dirá que Deus não pode resolver as coisas que vemos, ouvimos e experimentamos neste mundo. Mas Cristo "desarmou os governantes e as autoridades espirituais e os envergonhou publicamente ao vencê-los na cruz" (Cl 2.15). Satanás não é ameaça ao nosso Deus.

Faça o bem

Então, como lutamos em defesa da verdade e do amor em um mundo ferido e irado? Um modo é sendo subversivo. Precisamos de combatentes, mas não do tipo que incendeia a nação. Carecemos de pessoas que desejem fazer o bem. Sim, derrote a cultura com o bem. Precisamos de guerreiros ávidos por beneficiar seus vizinhos, assim como Jesus ordenou que amássemos nosso próximo. Isso é parte do bem comum a toda a sociedade — negros e brancos, homens e mulheres, conservadores e progressistas, cidadãos e imigrantes ilegais. A nossos amigos e a nossos inimigos.

Não se canse de fazer o bem, se é que o está fazendo (Gl 6.9). Não deixe que o medo o faça desfalecer. Não desanime. De fato, o mundo atual parece aterrador, mas, desde que o pecado surgiu, acaso houve algum instante em que não foi assim? Se olharmos em retrospecto para o curso da história, veremos divisões, guerras e terror tais quais alguns de nós experimentamos hoje. Em outras épocas, não havia tanta conexão; as pessoas não tinham como saber, com um mero segundo de atraso, o que estava acontecendo a três mil quilômetros de distância. Porém, a história nos permite saber que as nações sempre se enfureceram, governantes sempre foram corruptos, e as pessoas sempre se segregaram.

Não há razão para nutrir grandes esperanças. Não é a esperança que há em você ou em mim que nos fortalece. Nem a confiança nas autoridades que nos governam. Nem a confiança em nossas igrejas, pastores, irmãos de congregação. Não. Esperamos na fidelidade e no poder de Cristo, e dizemos como o rei Davi: "Alguns povos confiam em carros de guerra, outros, em cavalos, mas nós confiamos no nome do SENHOR, nosso Deus" (Sl 20.7).

Estenda seus joelhos enfraquecidos, a menos que eles estejam dobrados em oração ao Deus que salva. O Senhor não está dormindo; está acordado e age em nosso meio. Mesmo que todos deixem a igreja e nos fragmentemos de todas as maneiras possíveis, ainda assim temos uma grande comissão: ir e fazer discípulos de todas as nações. Mesmo que toda questão social que nos parece estapear o rosto da ética cristã se torne lei, continuamos a pregar a verdade em amor e a servir ao próximo. Se um grupo religioso radical começar a perseguir a igreja, podemos dizer por fé: "matam o corpo, mas não podem matar a alma" (Mt 10.28, NVI).[2] Em nossa cultura, para resistir é preciso ter a fé que somente Deus pode dar. Quero combater o combate da fé estando fundamentada naquilo que é sólido, firme e sobrenatural.

Entretanto, Deus não é um gênio da lâmpada, pronto a satisfazer todos os nossos desejos. Não consultamos uma bola de cristal para conhecer tudo o que ele está fazendo. Esperamos e confiamos. Deus está sempre trabalhando, reconheçamos isso ou não.

E, um dia, nossa fé se tornará vista. Deus não está de mãos encolhidas, aguardando que nos juntemos em uma manifestação política a fim de que as coisas se ajustem. Deus não desistiu de governar e legislar. Você e eu podemos resistir à ansiedade e ao medo lembrando-nos do que é verdadeiro acerca de Deus.

Temos um tipo de lealdade que é diferente, mais elevado, e que não se destina a nenhum governante ou autoridade desta terra. Devemos recordar que pertencemos ao reino de Deus, o reino dos céus. Não estamos confiando nossa vida a um Deus frívolo, impotente. Deus também é o nosso Pai de amor e nos convida a nos achegarmos a ele e a descansarmos em nosso Salvador, que morreu por nossos medos e preocupações. Ele é a nossa paz. Como Paulo escreveu:

> Lembrem-se de que o Senhor virá em breve. Não vivam preocupados com coisa alguma; em vez disso, orem a Deus pedindo aquilo de que precisam e agradecendo-lhe por tudo que ele já fez. Então vocês experimentarão a paz de Deus, que excede

todo entendimento e que guardará seu coração e sua mente em Cristo Jesus.

Filipenses 4.5-7

No capítulo 15 do Evangelho de Lucas, Jesus fala de três coisas que se haviam perdido: uma ovelha, uma moeda e um rapaz. Ao que parece, o Salvador queria abordar o terror de estar perdido e a alegria de ser achado. Recentemente, organizei um evento com cerca de duzentos bons amigos e outras pessoas de nossa comunidade, incluindo crianças. De algum modo, no meio do tumulto, a filha de uma de minhas amigas perdeu-se da mãe. Quando me viu, a garotinha correu em minha direção com lágrimas descendo em seu rosto assustado. Entre soluços, ela me contou que não conseguia encontrar a mãe.

Gentilmente, perguntei se ela gostaria de ficar comigo até que encontrássemos minha amiga. Erguendo os olhos para me ver e segurando forte em minha mão, ela confirmou com um "sim" apreensivo. Não passou nem um minuto até que sua mãe viesse e a pegasse no colo. Ela nunca estivera longe; de fato, estava a uma distância bem curta. A menina simplesmente não podia vê-la ali.

É possível compreender essa menininha. Há momentos em que as preocupações em nosso coração, as tristezas e as cargas que levamos nos fazem nos perguntar onde está Deus. Sentimo-nos pedidos e solitários. Abandonados. E, como aquela garota chorosa, buscamos socorro em outros lugares. Ela encontrou um local seguro e agradável: uma amiga para consolá-la; essa amiga, porém, não substituía aquilo de que a menina precisava, isto é, a mãe.

Lemos nos Salmos que "Deus é o nosso refúgio e a nossa fortaleza, auxílio sempre presente na adversidade" (46.1, NVI).

Isso significa que Deus não está mais ou menos presente, meio presente, distraído ou distante. Ele está sempre presente. Deus está conosco em nossa desorientação e dificuldade.

Ao longo dos anos, notei algo acerca do medo, da tristeza e dos problemas: se eu não for vigilante e não afirmar ao meu coração e à minha mente essa verdade do salmo 46, as provações podem anuviar minha vista. Se estiver preocupada e ansiosa, posso não conseguir me lembrar de onde vem o meu socorro. Como escreveu o pastor Anthony Carter:

> Pelo precioso sangue de Cristo, pertencemos a ele. Consequentemente, a promessa e a esperança do cristão não estão na hipótese de não haver dias maus. Na verdade, no fim das contas, todos que nasceram neste mundo têm sua parcela de provações (Jó 14.1). Porém, se somos nascidos de Deus, o consolo é que o Senhor, que sustenta o mundo, sustenta a nós também.[3]

Numa sociedade onde as vozes falam alto e sentimos como se o caos reinasse, precisamos encontrar refúgio no Deus que nos sustenta.

Como aquela garotinha, posso perambular por aí em procura afoita esquecendo que meu Socorro está bem ao meu lado. Claro, Deus não está fisicamente presente; não podemos tocá-lo nem segurar sua mão. Mas, mesmo assim, ele está perto, guiando nossos passos e aconselhando nosso coração segundo a verdade. Basta que o escutemos.

Saiba para onde está correndo

Então, você está correndo em que direção? Em quem ou onde você se refugia? Pode ser que corra para a comida a fim de encontrar consolo. Ou se apegue a alguma substância, como o álcool. Ou, ainda, você busca afogar suas mágoas em diversões de todo tipo. No fim, essas coisas nos deixam vazios e carentes — por vezes, bem mais vazios e carentes do que estávamos antes de procurá-las.

Você pode se abrigar nos amigos. Certamente, amigos são uma dádiva do Senhor, e cada um de nós deve orar pela companhia de amigos confiáveis, leais e piedosos. Amigos nos animam e consolam; os melhores dentre eles nos falam a verdade em amor. Contudo, não substituem Deus, nosso bom e fiel Pastor. Embora possam tentar, amigos não dão conta de carregar todo o peso de nosso fardo. Eles não podem nos manter em segurança. E mesmo o amigo mais leal não pode estar por perto o tempo todo. Amigos são um presente de Deus, mas não têm a menor condição de substituí-lo.

Quando estou atribulada e angustiada, nem sempre corro direto para a segurança oferecida por meu Pai celestial. Busco uma amiga ou meu marido. Não gosto de admitir isso, mas é verdade.

Tenho precisado praticar um bocado até começar a correr na direção certa. E pressuponho que eu não esteja sozinha. Minha esperança para você e para mim é que nos habituemos a lembrar-nos do Senhor, que é nosso verdadeiro refúgio e única esperança. Lembrar-nos disso é algo que o mundo não vai fazer, mas essa lembrança nos ajudará à medida que combatemos o bom combate da fé. Ela nos auxiliará a nos vestirmos da armadura de Deus e a resistirmos quando o mundo parecer estar em chamas. Espere em Deus. Corra para Deus.

Mas esse treino da mente demanda algo que está para além de nós, a saber, fé sobrenatural. É preciso ter a mesma fé necessária à certeza de que Deus é Deus de salvação, é soberano, onipotente, bom e disposto a nos abrigar. Evidentemente, o que nos faz correr na direção errada é um problema de fé. Por vezes, devemos nos confessar e clamar a Deus como aquele pai suplicou a Jesus: "Eu creio, mas ajude-me a superar minha incredulidade" (Mc 9.24). Deus é nosso refúgio. Além do Todo-poderoso, não há substituto que nos auxilie na adversidade.

Você e eu ainda vamos cometer deslizes vez após vez. Na expectativa de alcançar segurança, vamos dirigir nossos pensamentos afoitos a coisas inadequadas. Seremos tentados a confiar em nosso próprio entendimento. Isso porque estamos em batalha contra o pecado. Mas Deus, sendo rico em misericórdia, nos ofereceu escape mediante seu Filho. E Deus não nos condena por nossa fraqueza; em vez disso, convida-nos para estar perto dele.

Assim, em resposta a esse gentil convite, decido correr primeiro para o meu Pai, que me chama a fazer isso quando eu me sentir fraca, necessitada e angustiada. Quer tomar essa decisão também? Deus é o nosso refúgio; ele é a nossa fortaleza.

Fiel em tempos de adversidade

Quando penso em pessoas que enfrentaram toda sorte de obstáculos e, ainda assim, concluíram a corrida, proclamando fielmente o evangelho e crendo nele, John Perkins é uma delas. Poucos anos atrás, tive a honra de entrevistar Perkins acerca de sua vida, seu ministério e sua atuação como defensor dos direitos civis.

O dr. Perkins nasceu em situação de pobreza em 1930 e perdeu a mãe para a pelagra causada por inanição. Ele cresceu no Mississippi com a avó e vários outros familiares. Seu irmão serviu no exército, mas, ao retornar, levou um tiro fatal de um policial. Após esse trágico episódio, Perkins fugiu para o sul da Califórnia, onde veio a se tornar cristão.

Depois de sua conversão, Perkins sabia que poderia viver confortavelmente na Califórnia, mas sentiu-se chamado a voltar ao Mississippi a fim de ajudar a comunidade onde vivera. Ele comentou:

> Eu não estava mais satisfeito com a parcela de sucesso que havia conquistado; senti Deus me chamando de volta para o Mississippi, mas não para trabalhar com direitos civis. Retornei para proclamar o evangelho que transformara tanto minha vida. Porém, quando cheguei lá, em 1960, evidentemente o movimento pelos direitos civis estava se formando. [...] Todo negro ansiava pelo dia em que seria liberto da escravidão; portanto, não tive escolha. Não havia escolha para um negro que crescera em meio à pobreza, perdera o irmão e trabalhara por catorze centavos ao dia.[4]

Aquele foi o início de um duradouro ministério que envolveu contação de histórias bíblicas para crianças, trabalho comunitário, a fundação de uma instituição e a publicação de diversos livros.

O dr. Perkins continua a ministrar até hoje e recentemente lançou um livro sobre a questão racial.[5] Ele é um exemplo de perseverança no trabalho pelo bem comum escorado no evangelho de Jesus Cristo. Estou certa de que, alguma vez, ele já se sentiu cansado de fazer o bem, mas não foi derrotado. Você e eu podemos pedir que o Senhor nos dê resistência e força a fim de que não nos cansemos de fazer o bem neste mundo atormentado. Ele certamente o fará.

7

O coração necessita, a força provê

....

Muitos atletas que cursam o ensino médio sonham um dia participar das grandes ligas universitárias. Bolsas de estudo, fama e amizades imediatas esperam pelo atleta universitário. Para alguns jovens de 17 ou 18 anos, vislumbrar essas possibilidades é algo eletrizante.

Esse não foi o meu caso.

Como atleta de corrida, eu era bastante competitiva e capacitada, mas me faltava uma característica essencial: paixão. Gostava muito do esporte, era algo divertido; mas pode-se dizer que, no último ano, eu corria por correr. Eu era uma das melhores do estado e, no pior dos casos, poderia correr por uma universidade pequena. Contudo, não tinha vontade de me empenhar para isso. Tinha outros interesses e outras perspectivas. Em resumo, era muito preguiçosa para me dedicar o suficiente a fim de seguir adiante. Não me recrimino por isso. Não me arrependo. Simplesmente não tinha interesse, tenacidade, persistência e vontade para prosseguir no esporte.

Todos enfrentamos limitações, sejam elas físicas, mentais, volitivas ou de qualquer outro tipo; por isso, nem todos temos a habilidade ou a capacidade necessária a um atleta profissional. Assim como eu, muitos de nós não foram chamados para isso.

Não se realiza uma boa corrida de qualquer jeito. Algumas disciplinas e prioridades devem marcar nossa vida, não porque estamos tentando conquistar algo que não temos, mas porque somos compelidos a viver de uma nova maneira.

Atletas se submetem à disciplina a fim de participar de competições de alto nível e vencer. Qualquer que seja o esporte, é preciso tenacidade, perseverança, confiança e intencionalidade. De modo semelhante, quando nos envolvemos com as disciplinas da vida cristã, devemos observar se estamos correndo de forma leviana ou desleixada e avaliar como isso afeta nossa compreensão de Deus e nossa vida diária. É difícil buscar aquilo que não desejamos.

Minha falta de interesse nos esportes universitários em parte se devia ao fato de eu não querer disputá-los. Não fui chamada para aquela vocação; e isso foi obra do Senhor. Para mim, não valia a pena todo o empenho necessário para que eu me aperfeiçoasse como atleta. De forma parecida, é difícil manter-se na corrida da fé quando se acredita que Cristo não vale o esforço. Se ele não passar de um *slogan* ou de um cara legal, não será motivo para perseverar. Você e eu devemos lutar para nos lembrarmos de Jesus a ponto de desejá-lo.

E esta é a verdadeira boa notícia: diferentemente do atleta que deve dar tudo de si para terminar a prova, em nossa corrida nós nos beneficiamos da força de outro. Como o salmista orou: "Minha saúde pode acabar e meu espírito fraquejar, mas Deus continua sendo a força de meu coração; ele é minha possessão para sempre" (Sl 73.26). Nem sempre teremos ânimo para resistir. Nem sempre estaremos dispostos a continuar, e nosso coração nos desapontará se vivermos uma vida autocentrada.

Entretanto, não tem a ver conosco: tem a ver com Deus. E, por ser ele o centro da questão, lutamos para ter isso sempre em mente.

A luta do rei Davi

Pergunto-me se o rei Davi também se debateu com isso. Nos primeiros versículos do salmo 103, ele ensina como lembrar-nos do Senhor dizendo à alma que bendiga a Deus. Bendizer ao Senhor é cantar seus louvores. Não se espera que tão somente leiamos sobre Deus; nossa alma precisa louvá-lo, dar-lhe graças e exaltá-lo. Precisamos lembrar nossa alma de deleitar-se diariamente no Senhor.

Todo relacionamento que nos é valioso implica intencionalidade; portanto, devemos ser intencionais em nossa relação com o Senhor. Isso quer dizer que precisamos nos lembrar do motivo de nosso deleite em Deus e da razão de nosso apreço por ele. Não devemos jamais nos esquecer de suas bênçãos (Sl 103.2)

Essa convocação para bendizer ao Senhor não se refere apenas à nossa boca; engloba tudo em nós: "Todo o meu ser louve o SENHOR" (Sl 103.1). A adoração que Davi faz nesse salmo me faz recordar o mandamento de Jesus para que amemos o Senhor de todo o coração, toda a alma e toda a mente. Nada fica de fora. Devemos amá-lo com tudo o que há em nós; cada parte de nosso ser deve bendizer ao Senhor. Ele é santo e merece toda nossa atenção e admiração. Portanto, intencionalmente, lembramos à nossa alma, ao nosso coração e à nossa mente que bendigam seu santo nome.

Davi também proclamou à sua alma que não se esquecesse das bênçãos do Senhor. Essa recomendação não se aplica apenas às ocasiões em que estamos desanimados e entristecidos. Qualquer que seja a circunstância da vida que estejamos atravessando, devemos sempre lembrar-nos da obra do Senhor em nosso favor. Quando estamos desanimados, somos tentados a nos esquecer de sua bondade; assim, em tempos de tentação, devemos recordar tudo quanto ele fez. Porém, quando experimentamos abundância e pensamos ter tudo de que precisamos, é aí que nos sentimos mais tentados a ignorar as bênçãos do Senhor. Esquecemos que nada podemos fazer sem o Senhor (Jo 15.5). Devemos resistir ao impulso de nos lembrarmos do Senhor somente quando estamos em desespero. Devemos dar os três passos descritos a seguir.

Louve o Senhor pois ele perdoa todos os seus pecados (Sl 103.3). Deus não perdoa parcialmente; ele perdoa por completo. Todo pensamento e todo ato pecaminoso foram pagos na cruz de Cristo. Não merecemos seu perdão. Fomos nós que o enviamos à cruz. Ah, que essa verdade nos faça entoar canções bendizendo ao Senhor! Jesus pagou o preço que não podíamos pagar. Em sua misericórdia e graça, ele diz a nós que depositamos nele nossa fé e confiança: "Seus pecados estão perdoados".

Lembre que, ao morrer e ressuscitar, Jesus derrotou a morte. Muito de nossa preocupação e falta de ânimo resulta de saúde debilitada ou comprometida, ou de acompanharmos a dor de um amigo ou outra pessoa querida. Mas, um dia, toda enfermidade será curada; não haverá mais doença nem dor. Não haverá artrite. Não haverá câncer. Os males que assolam nosso corpo desde a queda serão erradicados. Que magnífico benefício de conhecer o Senhor! Quando a doença nos exaure, é bom lembrar à nossa alma que, um dia, tudo o que há em nós será curado.

Lembre à sua alma que ela recebeu salvação. Não importa qual é a sua história, se você foi salvo ainda criança ou se esteve imerso no pecado, Deus redimiu sua vida ao tirá-la do abismo. Estávamos desamparados, mortos pelo pecado, quer tenhamos nos dado conta disso ou não. Não fosse a intervenção do

Senhor, estaríamos destinados ao inferno. A mudança radical ocorrida em nosso coração significa que a misericórdia e a graça nos transformaram para sempre. Ele nos coroa com seu amor e compaixão, que são firmes, inabaláveis e eternos.

Bendiga ao Senhor, ó minha alma! Depararemos com as bênçãos do Senhor por toda a eternidade. Lembremo-nos dele hoje.

Se realmente amamos alguém, pensamos nessa pessoa, a observamos e refletimos sobre o que ela tem de bom e admirável. Não há nenhum egocentrismo em recordar as vezes nas quais alguém realizou grandes coisas por nós. Se nos esforçamos nesse sentido para com as pessoas, devemos buscar o Senhor da mesma forma. Bendiga ao Senhor, alma. Esteja você desanimada, ansiosa ou desfrutando de bênção abundante, não se esqueça dele. Lembre-se de louvá-lo pelas bênçãos que ele lhe deu hoje, dará amanhã e todos os outros dias. E, ainda que nos esqueçamos, Deus está profundamente dedicado a nós, à sua missão e ao seu Filho. Ele nos procura com irresistível graça, e não somos capazes de evitar seu amor e eterno poder.

Quero ansiar por Jesus. Quero desejar conhecê-lo. Todos os dias, você e eu precisamos de auxílio e transformação a fim de que nossa corrida em direção a Jesus não se torne mais um item na lista de afazeres. Jesus é tudo. Ele supera todas as outras coisas.

Ter um coração dedicado a Jesus

Muito bem, muito bem. Jesus é tudo. Certamente. Sabemos que tudo isso é verdadeiro, mas como ter essa verdade em mente em todo tempo? Como fazer que deixe de ser mais que meras palavras? Se a corrida requer um coração dedicado, como alcançar isso? Mais uma vez, nossa resposta está em Salmos.

> Percebi, então, que meu coração se amargurou
> e que eu estava despedaçado por dentro.
> Fui tolo e ignorante;
> a teus olhos devo ter parecido um animal irracional.
> E, no entanto, ainda pertenço a ti;
> tu seguras minha mão direita.
> Tu me guias com teu conselho
> e me conduzes a um destino glorioso.
> Quem mais eu tenho no céu senão a ti?
> Eu te desejo mais que a qualquer coisa na terra.
> Minha saúde pode acabar
> e meu espírito fraquejar,
> mas Deus continua sendo a força de meu coração;
> ele é minha possessão para sempre.
>
> Salmos 73.21-26

O salmista estava entristecido e sentia inveja. Ele se tornara amargurado e pecara contra Deus; seu estado era bestial. Mas notamos uma expressão de clemência: "*no entanto*". O salmista não havia agido corretamente e seu coração estava longe de Deus. No entanto, Deus sempre esteve com ele. Deus permaneceu ali, segurando sua mão. O mesmo se aplica a você e a mim. Nós pecamos. Não somos sempre fiéis. No entanto, Deus está conosco até o fim dos tempos — e mesmo além. Ainda que sejamos incapazes de nos apegarmos a ele, ele está sempre junto de nós.

Como vemos nesse salmo, Deus nos guiará com seu conselho, com sua Palavra. Nas ocasiões em que carecemos de força para erguer a cabeça, nas vezes em que achamos impossível continuar, olhamos para as promessas e para o caráter de Deus, registrados nas páginas das Escrituras. Então, lembramos que Deus sempre foi fiel e leal à sua Palavra.

Em termos práticos, é como pregar o evangelho a nós mesmos, minuto a minuto. Posso até levantar de manhã e passar algum tempo com o Senhor, mas terei dificuldade para viver a verdade que leio na Bíblia, se não me lembrar constantemente da bondade e do caráter de Deus, nosso Pai. Quem sabe este seja um dos motivos pelos quais somos instruídos a orar sem cessar (1Ts 5.17): envolvermo-nos com o nosso Senhor a tal ponto que, quando uma circunstância, preocupação ou medo nos fizer começar a esquecer, possamos logo nos lembrar dele.

Quando compreendemos quem nosso Deus é, podemos dizer: "Quem mais eu tenho no céu senão a ti?" (Sl 73.25). Não há nada nem ninguém comparável ao nosso Deus. E essa verdade nos fortalece o coração. Nossa carne pode falhar, nosso coração também, mas resistiremos porque Deus é a nossa força. Davi entoou um cântico parecido:

> Louvado seja o SENHOR,
> pois ouviu meu clamor por misericórdia!
> O SENHOR é minha força e meu escudo;
> confio nele de todo o coração.
> Ele me ajuda, e meu coração se enche de alegria;
> por isso lhe dou graças com meus cânticos.
>
> Salmos 28.6-7

Como o coração de Davi conseguia confiar? E como Davi conseguia proclamar que Deus era sua força? Porque o salmista estava seguro das promessas de Deus, isto é, de que Deus o protegeria. Deus é nossa força porque sabemos quem ele é; ele não se contradiz. Quais são algumas das promessas que você pode mencionar a si mesmo hoje a fim de fortalecer seu coração para o dia de amanhã? Coloque-as no papel. Peça a Deus, que ouve você, uma resposta em meio à aflição, à vida cotidiana ou mesmo à alegria, a fim de que você não se esqueça de onde vem sua força.

É um perigo o hábito de considerar a esperança e a necessidade de fortalecimento somente diante das provações. A vida cristã não é feita só de sombra e água fresca; também não é feita só de percalços. Com frequência, é mais parecida com acordar e fazer a próxima coisa rotineira.

Para você, perseverar talvez se pareça com levar uma vida tranquila (1Ts 4.10-12). Sua rotina consiste em ocupar-se, cuidar dos negócios, fazer algum trabalho manual, realizar as coisas mais triviais, dia após dia, para a glória do Senhor.

Minha amiga Linda reconhece a luta para encontrar força no Senhor em meio ao cotidiano. Ela é cristã há mais de quatro décadas e vive o que muitos diriam ser uma vida regulada e regular, sendo esposa de pastor em boa parte desse período. Linda compartilha suas ideias:

> Acredito que, para mim, muitas vezes é mais fácil perseverar à maneira cristã quando atravesso duras provações do que quando lido com questões cotidianas. Não apenas é mais fácil notar que grandes problemas são parte do plano soberano de Deus para a minha vida, como também reconheço que, não tendo controle nenhum sobre a situação (qualquer que seja) e seus respectivos desdobramentos, não só posso confiar nele como desejo fazer isso, além de querer muito saber quais são os planos dele para mim. Então, pego-me enfocando a plena verdade de que ele é bom e sempre me fará bem.

> É na vida diária que luto para perseverar como cristã, especialmente quando estou decepcionada ou minhas expectativas não se cumprem. Sei que, se quero perseverar diariamente como a cristã que sou, isso deve partir de um íntimo relacionamento com Deus. Esse tipo de intimidade não pode existir de fato sem que eu passe um tempo diário com sua Palavra e em oração. Conhecê-lo me possibilita perseverar, sobretudo em tempos nos quais confiar, render-se e obedecer parece difícil (Tg 1.2-4)

Sim, Linda, conhecê-lo nos possibilita perseverar. A vida cristã não é fácil, mas não necessariamente é uma vida de constante sofrimento, tristeza ou dor. Em meio ao trivial e corriqueiro, podemos ser tentados a confiar em nossa própria força e esquecer Deus. Toda nossa vida, todo minuto dela, diz respeito ao Senhor. Como diz o antigo hino: "De ti, Senhor, preciso, sempre, toda hora".

Enquanto estudava o que as Escrituras dizem sobre perseverar, encontrei a palavra *permanecer*. O coração que persevera e é fortalecido por Deus é um coração que permanece. *Permanecer* significa habitar um lugar ou manter-se ali. É duradouro, perene. Para prosseguir, precisamos permanecer.

Aprendendo a permanecer

É interessante ouvir as palavras "permaneça em Cristo" repetidas várias vezes por mulheres na intenção de indicar descanso. Ao menos acho que é isso o que essas irmãs querem sinalizar. A verdade é que nunca vi uma definição clara dessa expressão, embora a tenha ouvido com frequência. Para compreendê-la melhor, examinei a Palavra de Deus a fim de saber o que ela diz sobre permanecer em Cristo.

Jesus deixou uma série de despedidas, as quais estão registradas em João 13—17. Ele sabia que logo estaria morto num madeiro — o Rei crucificado. E, no meio disso tudo, ele bondosamente nos lembrou de que pertencer a ele implica dar frutos; damos frutos permanecendo nele, mantendo-nos nele.

Jesus descreveu a si mesmo como videira verdadeira e ao Pai como lavrador (Jo 15.1-11). A figura da videira verdadeira era um meio de contrapor Jesus ao Israel do Antigo Testamento. Os ouvintes entenderiam que ele estava dizendo ser o Messias, o que cumpria plenamente a aliança, por causa das alusões a vinhedos no Antigo Testamento (Is 5.1-7; 27.2-6).

Ele explicou que os ramos que não dão fruto são removidos, mas os ramos que dão fruto são podados para que se tornem ainda mais frutíferos. "Dar frutos" significa crescer em caráter, tornar-se mais parecido com Cristo e manifestar o fruto do Espírito (Gl 5.22-23).

Aqui é onde deparamos com seu mandamento quanto a permanecer: "Permaneçam em mim, e eu permanecerei em vocês. Pois, assim como um ramo não pode produzir fruto se não estiver na videira, vocês também não poderão produzir frutos a menos que permaneçam em mim" (Jo 15.4).

Antes de expor o sentido de permanecer, Jesus mostrou o que *não* é permanecer nele: "Quem não permanece em mim é jogado fora, como um ramo imprestável, e seca. Esses ramos são ajuntados num monte para serem queimados" (Jo 15.6).

Acho que sou o tipo de pessoa que você chamaria de "assassina de plantas". Eu as compro e tento cuidar delas, mas na maioria das vezes falho miseravelmente. Esqueço-me de regá-las, deixando-as sufocadas por falta da nutrição de que necessitam. Então, um dia, olho para elas e estão lá, murchas. Isso não acontece do dia para a noite, mas, sim, depois de um período de negligência. Um por um, os ramos (ou as folhas) se desprendem da videira.

Isso é o que Jesus esclareceu para nós em João 15.4-6. Quando não permanecemos nele, somos como minhas pobres plantinhas. Nossas raízes não se aprofundam, de modo que nunca recebemos nutrição. É como se, de fato, nunca tivéssemos sido plantados. O fruto da videira é a prova de nossa fé — não a perfeição, mas o fruto.

Somente em João 15.10 temos um quadro de como é permanecer em Jesus: "Quando vocês obedecem a meus mandamentos, permanecem no meu amor, assim como eu obedeço aos mandamentos de meu Pai e permaneço no amor dele". Permanecer em Cristo significa obedecer a seus mandamentos, e obedecer a seus mandamentos significa amar a Deus de todo o coração, de toda a alma e de toda a mente, bem como amar o próximo como a si mesmo (Mt 22.37-39). Uma forma de demonstrarmos nosso amor por Deus é por meio da confiança nele e da oração e devoção dirigidas a ele. Continuamos com ele. Permanecemos mediante relacionamento. Nós o buscamos em amor. Oramos em amor. Obedecemos em amor.

E a boa notícia é que "nós amamos porque ele nos amou primeiro" (1Jo 4.19). Não fomos nós que o escolhemos; ele nos escolheu para caminharmos na fé em obediência a ele (Jo 15.16). Longe de Cristo, não podemos fazer coisa alguma (Jo 15.5). Essa é uma ótima notícia para quem está cansado e acha que deve reunir forças para buscar e conhecer a Cristo e amar o próximo — um fruto que Jesus enfatizou. Ele provê graça e força.

O fruto de que Jesus fala é tão somente a evidência de um relacionamento com ele, resultado de uma relação que ele mesmo inaugurou por meio de seu amor soberano. Jesus nos lembrou de que não há amor maior que dar a vida pelos amigos, e completou: "Vocês serão meus amigos se fizerem o que eu ordeno" (Jo 15.14).

Deixe isso inundar você por um tempo. Somos amigos dele se obedecermos ao seu mandamento para amar, e esse mandamento se cumpre quando permanecemos. Permanecendo nele, damos o fruto da justiça. Isso não contribui em nada para nossa salvação, que se dá apenas pela graça mediante a fé somente; contudo, atesta a transformação de nosso coração. E o convite para ser amigo de Jesus — sim, amigo do autor e consumador de nossa fé, o Alfa e o Ômega, o Maravilhoso, aquele que suportou nossos pecados e transgressões — é irresistível para os cristãos.

Permaneça nele, e ele permanecerá em você. Ele, que começou a boa obra, irá completá-la (Fp 1.6). "Aquele que os chama fará isso acontecer, pois ele é fiel" (1Ts 5.24).[1]

Histórias de quem permaneceu

O ato de permanecer se manifesta de diversas formas a depender da fase de vida e do contexto em que estamos. Para Jennifer, permanecer significou comprometer-se com o grupo de estudos bíblicos que se reunia no alojamento de estudantes, e o fruto foi um desejo renovado pela Palavra de Deus. Ali ela também encontrou irmãs que a sustentaram e oraram por ela ao longo do semestre. Para Juanita, permanecer em Cristo lhe deu coragem para escapar de um namorado abusivo e refugiar-se numa comunidade cristã protetiva. Para Jung-an, permanecer implicou perseverar no trabalho missionário por muitos anos, ainda que parecesse não haver fruto nenhum. Todas essas mulheres se mantiveram perto de Jesus a despeito de quais tenham sido as circunstâncias que tiveram de suportar.

Permanecer também se assemelha à confiança que vemos na Irmã Kelly, uma lavadeira que viveu em Nashville após a Guerra Civil. Ela participou de reuniões em que escravos se juntavam para cantar e orar. Veja o que ela disse em uma entrevista depois da morte de seu marido: "Toda tribulação registrada em nosso coração está registrada no sangue de Cristo, e ninguém pode tomar de você a glória do nome de Jesus. Ele é quem guia meus passos trêmulos; e digo a você: bendiga o santo nome dele. Ele é o meu Pai celestial, o Deus de misericórdia".[2]

A Irmã Kelly perdeu muita coisa, mas, no Pai, tinha tudo de que necessitava. Ela habitou na presença do Senhor; ele era tudo de que ela dispunha. Ela prosseguiu com ele até o fim. Oro para alcançar esse tipo de fé e descanso em Deus. Tudo de que preciso está nele — nada mais, nada menos.

8
Avançando nas disciplinas práticas

....

Meu interesse por atividade física começou quando eu ainda era uma criança pequena e adorava a companhia e o engajamento do meu pai. Ele fazia coisas como correr comigo no estacionamento e me botava para cima quando eu corria nas pistas. Isso evoluiu para um duradouro apreço por esportes, incluindo ginástica, dança, atletismo, animação de torcida, ciclismo, e assim por diante.

Quando me tornei cristã, aos 22 anos, descobri uma nova dimensão para minhas atividades prediletas. Paulo escreveu: "O exercício físico tem algum valor, mas exercitar-se na devoção é muito melhor, pois promete benefícios não apenas nesta vida, mas também na vida futura" (1Tm 4.8). Ao aconselhar os cristãos a praticar a boa doutrina e o discernimento, ele sabia que isso demandaria diligência e esforço, tal qual o treino físico.

Os Estados Unidos se tornaram uma nação de atletas amadores: velocistas, ciclistas, iogues e fãs de *crossfit*. Cerca da metade dos adultos norte-americanos atendem às recomendações do governo federal para a prática de exercícios aeróbicos.[1] Pode não parecer muito, mas é o maior índice de que se tem registro. Milhões de crianças estão envolvidas na prática oficial de esportes, tanto que a pergunta não é se seu filho participará de alguma atividade esportiva, mas em que modalidade ele se enquadrará. Nos últimos anos, vi minha caçula empolgada por usar caneleiras cor-de-rosa para futebol e meu garoto aventurou-se no mundo do *cross-country*, correndo longas distâncias com seus *shorts* curtos.

Estamos certos ao nos preocupar com o que acontece quando nosso amor por atividade física atinge níveis extremos — excesso de exercícios, muita pressão, competitividade exagerada —, e a igreja deve continuar nos alertando contra todo *hobby* que se torna um ídolo. Mas, antes de reviramos os olhos diante de um novo desafio físico ou de uma frase do tipo "Tá pago!" nas redes sociais, faríamos bem em celebrar os pontos positivos de nosso crescente compromisso com a prática de esportes.

Na condição de esportista profissional veterana, posso lhe dizer que a atividade física traz muitos benefícios: corpo mais saudável, melhor humor, clareza mental, sono profundo, entre outros. Mas também os benefícios espirituais. À medida que os exercícios conquistam cada vez mais espaço em nossa rotina e nos discursos sobre cultura que ouvimos por aí, aumentam as chances de cristãos darem mais valor ao corpo que Deus nos deu, ao empenho, à criação divina. As disciplinas envolvidas na prática física se assemelham àquelas da vida cristã. Em ambos os casos, precisamos desenvolver resistência para completar a corrida.

Logo depois de minha conversão, comecei a dar um novo propósito ao meu amor por exercícios físicos. Isso se ampliou depois que tive meu primogênito e percebi que meu corpo nunca mais seria o mesmo. Mas Deus transformou toda preocupação com estrias e peso pós-gestacional em entusiasmo por ver como ele poderia me usar de um jeito novo enquanto eu treinava.

Deus nos mostra sua graça ao permitir que apreciemos fazer exercícios físicos aqui na terra. Quando era mais nova, a prática estava centrada em mim: em como eu me sentia e em meu desempenho. Agora, vejo que posso glorificá-lo, desfrutar da presença dele, usufruir de sua criação e servir bem à minha família enquanto me deleito nas atividades físicas propriamente ditas.

Deus utiliza as noções de treino, corrida e resistência como formas de direcionar nossa atenção à nossa fé (Is 40.31; Hb 12.1; 2Tm 4.7). Não surpreende o fato de a atividade física me lembrar da corrida que me foi proposta e da bondade de Deus nela implicada.

Em meus passeios de bicicleta, pego-me admirando Deus de novas maneiras. Quando passo por uma alameda e vejo flores de um amarelo vívido margeando o caminho, quando descubro um raro esquilo branco no parque local ou me esquivo de um filhote de cobra que atravessa a pista rapidamente, sei que há um Deus. Ele fez todo um mundo em que pudéssemos nos deleitar, um mundo que devemos governar e proteger (Gn 1.28-31).[2]

Corra para vencer

Paulo deve ter compreendido que a analogia com a corrida abrange muito de quem somos e daquilo com que podemos nos identificar. Em 1Coríntios 9, nós o vemos desafiando os coríntios a levar em consideração seus irmãos e irmãs, que contestavam a ideia de abrir mão de seus direitos em favor do próximo. Eles não queriam sacrificar seus desejos em prol de outras pessoas. Mas Paulo estava disposto a fazer o que fosse preciso para ganhar gente para Cristo (1Co 9.23).

Ele os desafiou ao escrever:

> Faço tudo isso para espalhar as boas-novas e participar de suas bênçãos. Vocês não sabem que, numa corrida, todos competem, mas apenas um ganha o prêmio? Portanto, corram para vencer. O atleta precisa ser disciplinado sob todos os aspectos. Ele se esforça para ganhar um prêmio perecível. Nós, porém, o fazemos para ganhar um prêmio eterno.
>
> 1Coríntios 9.24-25

Vamos mergulhar nesses versículos quando chegarmos ao último capítulo deste livro, mas, por ora, note que Paulo usou o exemplo do atleta que disciplina seu corpo para realizar uma boa corrida. O ponto aqui é: se nos disciplinamos quanto a algo perecível, devemos ser ainda mais disciplinados quanto a alcançar um prêmio imperecível.

Existem muitos livros sobre trabalho, autodisciplina e produtividade, assim como há inúmeros aplicativos e recursos voltados à atividade física. A cada início de ano, as vendas de livros de autoajuda e apetrechos esportivos disparam, visto que estabelecemos metas para nos exercitar e acordar cedo, entre outras disciplinas. Aqui, porém, Paulo nos diz que precisamos disciplinar nosso corpo para além dos aspectos físicos e profissionais. Temos de correr a corrida com perseverança e disciplinar o corpo para a santidade (1Co 9.27).

A corrida estabelecida diante de nós requer tenacidade quanto às disciplinas espirituais, que não têm nada a ver com listas do que fazer e, muito menos, são um meio de conquistar um assento à mesa do Senhor. Elas visam nos ajudar a terminar bem e desfrutar do Senhor. A disciplina nos habilita a vestir toda a armadura de Deus, que inclui leitura da Palavra, oração e comunhão com o Senhor à medida que nos lembramos continuamente do evangelho e de nossa fé

(Ef 6.10-20). Não temos de ser cristãos sobre-humanos para terminar bem a corrida. Não precisamos de um diploma de seminário, embora isso seja ótimo e muito bem-vindo. Precisamos, isto sim, ler a Palavra de Deus, meditar nela e orar. "Só" isso já demanda boa dose de disciplina neste nosso mundo ocupado e conectado.

Portanto, vou começar abordando duas áreas sobre as quais a Palavra fala com frequência e que são, a meu ver, as mais importantes e mais negligenciadas da vida cristã: o estudo da Palavra de Deus e a oração.

A dádiva da Palavra de Deus

Pondere, por um instante, quão surpreendente é o fato de a Palavra de Deus ter resistido milhares de anos e se tornado o livro mais amado, mais odiado e mais indevidamente usado de todos os tempos. A Bíblia foi destruída e proibida em diversos lugares ao longo da história, e ainda assim a mensagem de Deus contida em suas páginas continua viva. Nessas páginas, há trechos como "Eu sou o caminho, a verdade e a vida. Ninguém pode vir ao Pai senão por mim" (Jo 14.6), "Não tenha outros deuses além de mim" (Êx 20.3) e "Mas, a todos que creram nele e o aceitaram, ele deu o direito de se tornarem filhos de Deus" (Jo 1.12). Isso indica que o verdadeiro crente proclama a Cristo como único meio para a salvação.

Entretanto, por vezes corremos para outras coisas. Quando rolo o *feed* de uma rede social, olho de relance para as postagens e me pergunto: "Isso se aplica a mim?". Clico em um artigo que atrai minha atenção e questiono: "Isso é algo que devo abrigar em meu coração ou é um mau conselho?". E por aí vai.

Todos os dias, somos inundados por artigos e postagens que nos dizem como devemos pensar, viver e ser. Várias ideias neles veiculadas são bem-intencionadas, e algumas chegam a ser verdades universais. Mas, se não formos cautelosos e sensatos, podemos nos fiar demais nos argumentos de quem está fora de nossa comunidade — ou, pior ainda, confiar mais em argumentos alheios do que nas palavras de nosso Pai. Essa é uma das muitas razões por que precisamos nos disciplinar na leitura da Palavra de Deus. Dizer "não" às redes sociais não costuma ser item das listas de disciplinas espirituais, mas, para colocar qualquer disciplina em prática, precisamos aprender a nos desconectar.

Pessoas à procura de respostas sempre estiveram na mira do "melhor e mais atual conselho sobre como viver". E esse conselho está por aí, em todo lugar! Nas livrarias, a seção de autoajuda está sempre bem abastecida de ideias inéditas e revolucionárias. Há conselhos (bons e maus) na TV, no rádio e em artigos de todo tipo. Na era da internet, não precisamos mais gastar muito tempo buscando por aconselhamento. Ele está escancarado à nossa frente o tempo todo — ou seja, toda vez que pegamos nosso *smartphone*. E, sendo honestos, muitos de nós gastam horas fazendo isso diariamente. Em consequência, precisamos ser ainda mais diligentes quanto àquilo em que acreditamos, pensamos e nos demoramos.

O apóstolo Paulo compreendeu a importância de travar as lutas certas com os recursos certos:

> Usamos as armas poderosas de Deus, e não as armas do mundo, para derrubar as fortalezas do raciocínio humano e acabar com os falsos argumentos. Destruímos todas as opiniões arrogantes que impedem as pessoas de conhecer a Deus. Levamos cativo todo

pensamento rebelde e o ensinamos a obedecer a Cristo. E, depois que vocês se tornarem inteiramente obedientes, estaremos prontos para punir todos que insistirem em desobedecer.

2Coríntios 10.4-6

Nessa batalha pelo controle de nossa mente (uma batalha que conheço bem), na linha de frente de nossa defesa está a Palavra de Deus. Toda opinião, todo artigo, toda publicação em rede social e até mesmo este livro precisam ser postos na balança com o conhecimento de Deus. Isso pode soar exagerado, mas o custo de acreditar no que é errado é muito grande para nos arriscarmos a fazer diferente. Todavia, não podemos ter o conhecimento de Deus sem que o busquemos, e uma das principais maneiras de buscar a Deus é mediante sua Palavra. Se, de fato, cremos que a Bíblia é inspirada por Deus (2Tm 3.16), então nenhum livro, nenhum artigo, nenhuma frase de efeito de rede social pode se comparar à Palavra, que nos ensina sobre nosso Salvador, corrige nosso coração e nos instrui na justiça.

É tentador correr para outras fontes — inclusive boas fontes — a fim de obter o que somente a Palavra de Deus tem condições de oferecer. A Bíblia é infalível; por isso, tudo o mais deve ser examinado em contraste com ela.

Os salmistas, em particular, deram ênfase à prática de correr para o Senhor e meditar nas Escrituras dia e noite (ver Sl 1.1-3; 16.8; 19.14; 104.34 e 119.15-16, só para começar). Se desejamos crescer em discernimento, buscaremos ser cheios da verdade da Palavra de Deus. Não podemos entrar numa batalha sem antes nos prepararmos para isso. Devemos treinar nosso cérebro para filtrar os ruídos.

A solução é muito fácil, de verdade. Não precisamos de fato nos retirar das redes sociais e, de maneira nenhuma, devemos parar de ler livros. Essas coisas podem ser úteis para nos colocar de volta na direção de nosso Salvador. Mas elas não são a Palavra nem podem substituí-la.

Assim, tenha prazer na lei do Senhor dia e noite (Sl 1.2). Leia a Bíblia regularmente. Memorize versículos referentes ao caráter de Deus. Treine sua mente para discernir o que é verdadeiro, puro, amável e admirável, e pense nessas coisas (Fp 4.8). Esteja pronto para proclamar a verdade da Palavra ao seu coração e à sua mente sabendo que essa verdade já foi depositada dentro de você.

Existem muitas formas de mergulhar na Palavra de Deus. Costumo ler a Bíblia diariamente, estudar algumas passagens e meditar nelas, dependendo da semana. Meditar pode ser algo como ler e reescrever um trecho — desse modo, consigo articular o que esse trecho diz — ou concentrar-se em uma única palavra. No meu caso, estudar quase sempre tem a ver com usar um método que me permita observar (ler o texto), interpretar (consultar referências cruzadas e outros recursos) e aplicar à minha vida.

Há quem acredite que a leitura bíblica diária não é necessária e considere que tirar um dia para dissecar a Palavra tanto quanto possível é a melhor estratégia. Pessoas desse tipo talvez aproveitem melhor os métodos de estudo do que eu, mas, provavelmente, demoram mais nesse estudo de um dia, o que pode significar um outro dia inteiro de descanso.

Também há outras maneiras de consolidar a Palavra em nosso coração e em nossa mente: memorizar trechos, orar versículos, afixar versículos em ambientes pelos quais transitamos com frequência, e muitas outras. A chave é: ler e estudar as palavras de Deus e meditar nelas, pois estão entre as maiores dádivas de nosso Senhor para nós.

O deleite da oração

Orar nunca é demais.

A oração nem sempre corresponde à nossa primeira reação. Paulo, inspirado pelo Espírito Santo, ordenou que os cristãos façam isto:

> Alegrem-se sempre no Senhor. Repito: alegrem-se! Que todos vejam que vocês são amáveis em tudo que fazem. Lembrem-se de que o Senhor virá em breve.
>
> Não vivam preocupados com coisa alguma; em vez disso, orem a Deus pedindo aquilo de que precisam e agradecendo-lhe por tudo que ele já fez. Então vocês experimentarão a paz de Deus, que excede todo entendimento e que guardará seu coração e sua mente em Cristo Jesus.
>
> Filipenses 4.4-7

O grande tema da carta aos filipenses é a alegria, e a força que nos habilita a manter a alegria é a oração. Somos exortados a trocar nossas preocupações por orações e súplicas (pedidos humildes e sinceros). Então, Deus, o supremo doador de tudo o que é bom, nos provê de alegria e paz. Que Deus generoso!

Quer dizer que basta fazer uma oração para receber paz e alegria imediatas e, então, seguir em frente, certo? Não é bem assim. Talvez tenha sido por isso que Paulo disse aos tessalonicenses: "Estejam sempre alegres. Nunca deixem de orar" (1Ts 5.16-17). Orar sem cessar significa que nossa mente está o tempo todo em comunhão com o Senhor. E por que precisamos disso? Porque nos esquecemos com muita rapidez e facilidade. Esquecemos que Deus está no controle e que podemos confiar nele no exato momento em que afirmamos isso.

Passar um tempo com o Senhor é a forma como prefiro começar meu dia. Isso me faz focar o evangelho e me dá uma perspectiva mental adequada antes que eu me envolva com as tarefas e demandas do dia. É fácil desfrutar paz e alegria na quietude das manhãs, sentar-me acompanhada de uma xícara de café enquanto todos os demais na casa ainda dormem. Mas preciso de Deus em todo tempo! A oração é um ato de guerra: equivale a tomar nossas armas contra as mentiras do maligno e confiar a vida ao nosso poderoso Salvador.

Talvez a maior motivação para orar seja... orar! Na oração temos acesso àquele que é Santo. Temos acesso ao Pai. Essa verdade é demais para mim! Não consigo apreendê-la por completo, mas posso desfrutar dela. Jesus abriu caminho para que tivéssemos acesso ao Senhor do universo (Ef 2.18). E, por causa de Jesus, não somos aniquilados ao nos aproximarmos do Deus Santo. Podemos nos achegar ao trono da graça para receber misericórdia e socorro em tempos de necessidade (Hb 4.16).

Sendo assim, por que não oraríamos? Não pergunto de maneira acusadora; é uma indagação que dirijo a mim também. Se de fato creio que tudo isso é verdade, por que confiaria em minha própria força e sabedoria? Por que me preocuparia se tenho acesso ao bom Deus que controla todas as coisas? Em suma, o que quero dizer é que você e eu podemos estar nos debatendo com dúvidas mais do que conseguimos perceber.

Não digo que não cremos. Sim, cremos. Ocorre que ou não cremos o bastante, ou duvidamos da eficácia da oração, ou nos perguntamos se Deus realmente nos ouve e responde. O curioso é que, para combater nossas dúvidas, devemos levá-las prontamente ao Senhor. Tiago escreveu sobre elas, dizendo:

> Se algum de vocês precisar de sabedoria, peça a nosso Deus generoso, e receberá. Ele não os repreenderá por pedirem. Mas, quando pedirem, façam-no com fé, sem vacilar, pois aquele que duvida é como a onda do mar, empurrada e agitada pelo vento. Ele não deve esperar receber coisa alguma do Senhor, pois tem a mente dividida e é instável em tudo que faz.
>
> Tiago 1.5-8

Tiago quase nunca mede suas palavras, não é? Sua forte analogia visa nos fazer levar nossas dúvidas na direção de Deus e nos distanciar do mundo. A imagem do homem no mar sendo agitado pelas ondas de um lado para outro é bem didática. Quando duvidamos, ficamos indecisos, sacudidos para lá e para cá entre o que sabemos ser verdade e o que o mundo, o diabo ou nossos medos dizem ser verdade. Quando duvidamos, agimos como alguém que tem, por assim dizer, duas cabeças, ou seja, é instável.

Vamos duvidar vez ou outra, mas é importante que levemos nossas dúvidas ao Senhor, que as confessemos a ele e peçamos graça para crer.

Outro incentivo à oração é lembrar que Jesus intercede por nós. O escritor de Hebreus afirma: "Portanto, ele é capaz de salvar de uma vez por todas aqueles que se aproximam de Deus por meio dele. Ele vive sempre para interceder em favor deles" (7.25). Jesus vive! Jesus está vivo agora mesmo e ora por você. Ele está intercedendo em seu favor diante do Pai (Rm 8.34). Jesus morreu, mas a morte não pode detê-lo. Ele ressuscitou e venceu a morte, e agora vive para falar por você e por mim. Se isso não é graça maravilhosa, então não sei o que é.

Seu tempo de oração não tem de ser algo elaborado, mas oro para que, tanto no seu caso como no meu, seja consistente e honesto — todos os dias. Como escreveu o pastor africano Conrad Mbewe: "Esse relacionamento com Deus é importante demais para não ser levado a sério — você deve achegar-se a Deus com lábios sinceros (Sl 145.18)".[3] Não precisamos de palavras rebuscadas; precisamos de corações desesperados.

Oração pelos iniciantes

Algumas coisas parecem mais fáceis de aprender quando se é criança. Seja nadar, esquiar ou falar um idioma diferente, as crianças parecem absorver novas habilidades rápida e naturalmente. Quando menina, aprendi a brincar com o bambolê, a dançar e a andar de bicicleta, mas algo que não aprendi foi como orar.

Tornei-me cristã aos 22 anos. Quem primeiro compartilhou o evangelho comigo foi uma mulher que me disse que tinha vários amigos orando para que eu conhecesse o Senhor. No dia em que firmei meu compromisso com Deus, três amigos se juntaram à minha volta e oraram comigo ao Senhor pelo perdão dos meus pecados. Contudo, eu ainda precisava aprender a orar, e, para mim, a oração não veio naturalmente.

Talvez você seja recém-convertido ou nunca tenha se comprometido a orar. Ou, quem sabe, a oração lhe seja algo muito esquisito: você não consegue ver Deus e se pergunta se ele está mesmo ali, realmente ouvindo você. Está claro que o maior benefício da oração é a comunhão com Deus. Mas me recordo da sensação de novidade e de ter muitas questões a fazer sobre isso. Nem mesmo Jesus presumiu que sabíamos como orar; ele gentilmente ensinou seus seguidores a fazer isso, no Sermão do Monte (Mt 6.5-15). Tudo na vida cristã é processo, inclusive o aprendizado de disciplinas como a oração. Portanto, você e eu podemos progredir em nossa vida de oração.

Se você está prestes a iniciar sua jornada na oração, sinto-me tentada a lhe dar uma grande lista de procedimentos. Mas, em vez disso, quero sugerir duas coisas que me ajudaram e continuam a me servir enquanto busco a Deus em oração.

1. *Lembre-se do "quem"*. Em Mateus 6, Jesus ensinou seus discípulos a orar apresentando-lhes a Oração do Senhor. Deus é santo e sublime em todos os sentidos e, ainda assim, também é nosso Pai, o qual não apenas permite que falemos com ele como nos convida a fazer isso. Deus nos pede que nos acheguemos ao seu trono de graça (Hb 4.16). Oramos àquele que é descrito como uma rocha (1Sm 2.2), conhecedor de todas as coisas (Is 40.13-14) e todo-poderoso (Lc 1.37). Deus é maior que qualquer coisa que nosso coração e nossa mente vierem a imaginar; ainda assim, ele está atento a nós (Sl 8.4). Deus nos ama com amor eterno, tanto que deu seu Filho por nós (Jo 3.16).

Essa é só uma amostra de quem Deus, nosso Pai, é. Lembre-se de *quem* ele é e deixe que isso o motive a correr na direção dele em oração.

2. *Vá e ore*. Quando instruo meus filhos a orar, eles com frequência respondem com um "Mamãe, eu não sei fazer isso". Para ajudá-los, eu poderia ensinar-lhes a Oração do Senhor (e é o que vou fazer), mas decidi começar pelo básico: peço que eles simplesmente falem e lhes digo que podem conversar com Deus.

E eu não reservaria esse conselho apenas para crianças. Você e eu podemos nos beneficiar do simples ato de abrir a boca e falar com Deus. Não precisamos complicar demais, somente falar, pedir, suplicar, clamar, agradecer e rogar. Ele está ouvindo! Nossas orações não precisam ser complexas nem ter palavras imponentes. Na realidade, Jesus comentou expressamente que Deus não se impressiona com isso (Mt 6.7). Podemos ser autênticos, honestos e humildes diante dele.

Em termos práticos, você pode puxar um amigo para perto e pedir que ele comece a orar com você; essa é uma maneira de aprender a orar. Lembro-me de me encontrar quinzenalmente com duas amigas durante anos depois de ter me tornado cristã. Compartilhávamos várias provações e alegrias e sempre orávamos juntas.

Outra coisa que se pode tentar é memorizar a Oração do Senhor e recitá-la ao próprio Deus, ou abrir os salmos e orar baseando-se neles, ou escrever suas preces em um diário. Lá se vão dezoito anos desde que comecei minhas primeiras e vacilantes tentativas de orar, e ainda estou aprendendo e crescendo na vida de oração. Para mim, essa é uma das formas mais agradáveis de estar em comunhão com meu Pai. Deus me convida a aproximar-me dele seja dia seja noite, qualquer hora que eu precisar. E, para ser sincera, às vezes ainda tropeço nas palavras. Sou grata porque, em minha fraqueza, quando não sei o que dizer, o Senhor sabe e o Espírito intercede por mim (Rm 8.26).

Acima de tudo, Deus anseia ouvir nossas orações: "Eu os atenderei antes mesmo de clamarem a mim; enquanto ainda estiverem falando de suas necessidades, responderei a suas orações!" (Is 65.24). Ore, pois ele está ouvindo.

Buscando a solitude

Geralmente, a leitura bíblica e a oração encabeçam as listas de disciplinas espirituais, e com razão. Deus nos deu esses recursos para interagirmos diretamente com ele. Agora, vamos explorar duas disciplinas menos conhecidas e que nos levam para mais perto de Jesus: solitude e jejum. Comecemos com a solitude.

Recentemente, preparei-me para entrar em meu primeiro retiro de silêncio. Quando minha amiga me relatou suas experiências com esse tipo de prática, enchi-me de expectativa e pavor. Eu receava estar acompanhada apenas da voz em minha mente falando alto ao meu coração. Em que eu pensaria? Que angústias não havia encarado por estar sempre envolvida em alguma coisa? Se comecei a chorar ao me imaginar em silêncio por um dia, quem dirá três!

Não raro, o barulho à minha volta faz calar minhas preocupações, inseguranças, medos — e, honestamente, quanto careço de Jesus. Em outras palavras, em razão do constante ruído que chega das redes sociais, do meu lar tão adorável, do trabalho e de tudo o mais, não é sempre que passo longos períodos orando e meditando no Senhor.

Como muitos de nós, passo apenas de seis a oito horas diárias em silêncio — quando estou dormindo. Até mesmo quando leio a Palavra de Deus, em geral há alguém por perto, e a leitura raramente demora mais que uma hora. Esse é um dos motivos pelos quais comecei a explorar os benefícios da solitude, de sair de cena para estar sozinha com o Senhor em pensamento, oração e leitura da Bíblia por intervalos mais longos. E, como acontece com tudo o que se refere ao Senhor, busco a orientação dele.

Jesus sabia muito sobre barulho: as pessoas estavam sempre procurando por ele, na expectativa de que ele realizasse um milagre ou lhes ensinasse algo. Nem mesmo os que eram mais próximos hesitavam em acordá-lo caso precisassem dele (Lc 8.24). Lucas registrou um relance da vida atarefada de Cristo que nos serve de inspiração, incentivo e ensinamento: o episódio em que um leproso veio até Jesus pedindo por cura. Jesus o curou e orientou que não contasse a ninguém o que havia ocorrido. Porém, o homem curado não guardou segredo. Você consegue recriminá-lo? Quando Jesus faz coisas grandiosas, eu também quero anunciá-las do alto de uma montanha. As obras e a fama de Jesus se espalharam para longe, e multidões se reuniam para ouvi-lo e receber cura (Lc 5.15). Entretanto, em vez de curar ou ensinar, nosso Senhor "se retirava para lugares isolados, a fim de orar" (Lc 5.16).

O uso do pretérito imperfeito, *retirava*, indica que o ato de retirar-se e orar era habitual para Jesus. E os Evangelhos registram outras ocasiões nas quais o Salvador se retirou para orar:

- Jesus se levantou cedo pela manhã e se dirigiu a um lugar isolado (Mc 1.35).
- Ele subiu um monte sozinho a fim de orar (Mt 14.23).
- Outra vez retirou-se para um monte (Lc 6.12).
- De modo semelhante, a cena mais famosa das Escrituras aconteceu quando Jesus orou no jardim do Getsêmani antes de sua crucificação (Lc 22.44).

O escritor aos Hebreus nos lembra que Jesus fez muitas orações no tempo em que viveu na terra (Hb 5.7).

Se Jesus precisava se retirar a fim de estar com o Pai, quanto mais nós devemos fazer isso! Ele precisava de seu Pai. Precisava de tempo sozinho para orar e descansar. Havia urgência em suas orações, pois ele proferia clamores angustiados em alta voz. Jesus, o Deus-homem, precisava da comunhão com o Pai. Que dizer de nós! Quanto precisamos nos retirar e passar tempo em sua companhia!

Como tudo o que é de natureza prática em relação à devoção ao nosso Senhor, a solitude não é um requisito. Trata-se de um benefício e uma dádiva, mas não é algo mandatório para a verdadeira comunhão com Deus. Não conquistamos nada diante de Deus ao aderir à disciplina da solitude. Mas tendemos a concordar que, sem alguma dose de silêncio, é difícil ouvir o Senhor por meio de sua Palavra. E, sem silêncio, as orações são facilmente abafadas por ruídos. Em certa medida, ficar sozinho ao menos por um momento é importante para a caminhada cristã.

Consegue imaginar a beleza de sentar-se silenciosamente na presença do Senhor durante um período mais longo de solitude? É provável que ele lhe revele o que há de mais íntimo em você, mas tão somente para reparar tudo por sua graça e bondade. Pense em como será meditar na Bíblia de forma ininterrupta — nenhum compromisso ou tarefa a cumprir, nada além de ler e aprender e absorver a sabedoria e o conhecimento de Deus. Isso me parece tão maravilhoso! E pensar que é o que faremos na eternidade: sentar aos pés de Jesus, ouvi-lo, aprender dele, adorá-lo e apreciar sua companhia para sempre. Pela Palavra de Deus, posso escutá-lo convidando-nos, agora mesmo, à quietude e ao entendimento de que ele é Deus (Sl 46.10).

Lembra-se do jejum?

Tal como ocorre com a solitude, é difícil jejuar e, hoje em dia, o jejum é raramente praticado nas igrejas protestantes. Com bastante frequência, ouço e vejo convocações à oração, mas quase nunca escuto chamados ao jejum.

Enquanto escrevo, estamos no início da quaresma, que não é observada em minha congregação. Mas gosto muito de aprender sobre esse tempo de oração, arrependimento e abnegação. A quaresma é praticada, sobretudo, em igrejas anglicanas, ortodoxas, católicas, luteranas e metodistas. Para além do fato de uma ou outra amiga compartilhar uma foto onde se vê cinzas sobre sua testa e de eu ouvir sobre pessoas se abstendo de coisas nesse período — como chocolate, TV ou internet —, não tenho muita familiaridade com a quaresma. Percebi que, às vezes, ela não é praticada com tanta reverência; algumas pessoas observam a quaresma sem saber exatamente por quê.

Muitos de nós, em geral, lidamos com o jejum da mesma forma. Acaso sabemos por que jejuamos, se é que jejuamos? Para avaliar se o jejum é parte do que você entende por disciplinas cristãs e é algo considerado importante em sua comunidade, responda a estas perguntas: (1) Quando foi a última vez que você jejuou? (2) Quando foi a última vez que ouviu um sermão sobre o jejum?

Pelas respostas a essas perguntas, sabemos quanto valorizamos ou não o jejum. Poucos de nós ouvimos algum sermão sobre jejum ou, menos ainda, jejuamos recentemente. Não digo isso para impor uma sobrecarga ou fardo pesado, mas para sensibilizar. O jejum ocupa o último lugar na maioria de nossas listas de prioridades, e as Escrituras não ordenam que jejuemos. Contudo, parece que essa era uma prática usual na rotina de Jesus. Então, por que não jejuamos também?

No Antigo Testamento, o jejum constava na lei — era um requisito para os israelitas, que, uma vez ao ano, deviam "afligir-se", ou seja, humilhar-se diante do Senhor com jejum e orações (Lv 16.29, RA). Não existe esse tipo de ordenança no Novo Testamento, e hoje já não vemos o jejum sendo requisitado em nenhum lugar. No Sermão do Monte, porém, Jesus parece assumir que jejuaríamos, tanto que deixou instruções quanto a isso:

> Quando jejuarem, não façam como os hipócritas, que se esforçam para parecer tristes e desarrumados a fim de que as pessoas percebam que estão jejuando. Eu lhes digo a verdade: eles não receberão outra recompensa além dessa. Mas, quando jejuarem, penteiem o cabelo e lavem o rosto. Desse modo, ninguém notará que estão jejuando, exceto seu Pai, que sabe o que vocês fazem em segredo. E seu Pai, que observa em segredo, os recompensará.
>
> Mateus 6.16-18

Jesus disse que, *quando* jejuarmos, não devemos parecer soturnos, o que indica que, em algum momento, de fato nos dedicaríamos a essa prática. A preocupação dele, como sempre, era com o coração por trás da ação, não a ação em si. Desse modo, não devemos chamar atenção durante a prática espiritual do jejum. Jesus também falou sobre jejuar em particular; portanto, no jejum, devemos resistir à tentação de atrair olhares para nós mesmos. Não é bonito que, quando jejuamos sozinhos, não estamos realmente sozinhos? Deus está conosco. Ele nos vê e nos recompensa de forma notória.

Jesus não pediria a nós nada que ele mesmo não tivesse suportado. Ele passou quarenta dias e quarenta noites jejuando no deserto (Mt 4.1-11). Daquela vez, o jejum não terminou com um banquete de sete refeições regadas a vinho; terminou com Jesus sendo tentado por Satanás. O diabo queria que Jesus falhasse e, assim, tivesse seu ministério desqualificado; se pecasse, Jesus não poderia ser o Messias. Evidentemente, Jesus não caiu na conversa de Satanás. E ele não ordena que nos submetamos a um jejum tão extraordinário. (Note que Moisés jejuou por quarenta dias e quarenta noites; ver Êx 24.18.)

Jejum e oração são irmãos bem apegados, frequentemente equiparados e citados juntos como recursos para lutar contra a tentação e manter o foco no Senhor. No Novo Testamento, jejum e oração são comumente apresentados como preparativos para alguma coisa:

- Antes de serem enviados em missão, os líderes da igreja primitiva oraram e jejuaram (At 13.1-3).
- As pessoas oravam e jejuavam por instrução e por boas decisões (At 14.23).
- Os discípulos não jejuaram enquanto tiveram Jesus por perto, mas, quando ele se foi, jejuaram na expectativa de que retornasse (Mt 9.14-17).
- E, acima de tudo, jejuar e orar são atos de adoração que preparam nosso coração e nossa mente para que louvem o Senhor, se arrependam e acolham o Senhor (Lc 2.37).

Além disso, o jejum é outra maneira de nos envolver com o Senhor, negar a nós mesmos e render-lhe adoração. Podemos nos abster de consumir alimento, mídias ou qualquer outra coisa que consideremos sacrificante. Porém, em tudo o que fazemos, devemos lembrar-nos do objetivo de nossa fé. Jesus é a razão pela qual jejuamos — queremos estar perto dele de um modo único que se opõe à nossa cultura autoindulgente. À medida que nos aproximamos dele, ele se aproxima de nós (Tg 4.8).

Disciplina para perseverar

Quando escrevo sobre disciplinas espirituais, hesito em dar muitas instruções do tipo "como fazer". Isso porque fiquei traumatizada depois de receber conselhos pesados sobre como exercer minha fé. Eu poderia lhe dizer tudo o que você pode fazer e talvez devesse fazer, mas, se fizer ao menos uma dessas coisas por sentir-se obrigado, e não por deleite próprio, você não daria continuidade a isso. É difícil nos dispormos a realizar algo — mesmo que seja uma coisa favorável a nós — quando nossa única motivação diz respeito a nós, não a Deus.

Pense nas dietas alimentares. Elas funcionam por um tempo, mas não duram muito. E, se você mergulha numa dieta de efeito instantâneo, o resultado é exatamente assim: instantâneo — logo você volta ao que era antes. Não queremos nos aproximar do Senhor como quem faz dietas instantâneas ou como se ele fosse alguém que nos oferece coisas por algum tempo. Precisamos do Senhor para que ele nos sustente por toda a vida, e foi isso o que ele prometeu fazer. Para perseverar nas disciplinas, você e eu precisamos pedir ao Senhor que nos dê um coração que anseie por ele; assim, poderemos correr em sua direção.

Não praticamos disciplinas espirituais por acreditar que obteremos o favor de Deus por meio delas. Nós as praticamos porque elas nos ajudam a terminar bem a corrida e a apreciar o Senhor enquanto corremos. Disciplinamos nosso corpo mediante oração, leitura bíblica, jejum, solitude e diversos outros recursos, expressando nosso deleite no Senhor e mostrando-nos dependentes dele. É assim que exercemos nossa salvação no temor do Senhor e desenvolvemos músculos que resistirão até o fim dos tempos (Fp 2.12-13).

9
Quebrantado e contrito

....

Ao refletir sobre o arrependimento e sobre quanto minha própria vida e nossa cultura precisam dele, rapidamente percebi que, em alguns círculos cristãos, as pessoas não usam muito a palavra *pecado*. Não a vejo sendo escrita com frequência. Às vezes, é evitada e substituída por formas preferenciais, como *ruptura* e *fraqueza*. Sem dúvida, ruptura é parte da realidade de quem somos. Somos pessoas fragmentadas que necessitam de graça e cura. Mas isso corresponde apenas a uma parte do todo. O fato de sermos cindidos pode ser resultado de ações nocivas de outros, mas o pecado é diferente e muito mais específico.

Como relatado em Gênesis 3, o pecado veio ao mundo, e tudo mudou.

Talvez o pecado não seja algo em que a maioria de nós costuma pensar. Uma de minhas amigas mais próximas nunca refletiu sobre seu pecado ou sobre como estava seu coração (isto é, se ela lutava ou não contra o pecado). Algo com que ela se debatia era a ansiedade moderada (nem clínica, nem debilitante). Ela usava muito as palavras *ansiosa* e *preocupada*, dizendo: "Estou muito ansiosa com essa prova" ou "Eu estou preocupada com o fato de que meu namorado talvez não goste mais de mim". Mas ela nunca cogitou que sua ansiedade pudesse ter relação com o pecado. Não estou dizendo que a ansiedade está sempre relacionada ao pecado, mas o Senhor, em sua bondade, revelou a essa minha amiga que a ansiedade que ela às vezes experimentava tinha a ver com falta de confiança em Deus (ver Mt 6.25-34; Fp 4.6; 1Pe 5.6-7).

Em 1João 1.8, lemos: "Se afirmamos que não temos pecados, enganamos a nós mesmos e não vivemos na verdade". Não era bem esse o caso da minha amiga. O mais provável era que ela simplesmente não estivesse convencida de seu pecado nem acostumada a pensar nessas coisas. Como ela vinha sendo discipulada, começou a ver suas lutas como de fato eram. Então, conseguiu nomeá-las e experimentar liberdade e paz. De maneira semelhante, para combater o pecado, precisamos vê-lo como ele é.

Abrigados em corpos rotos e pecaminosos, lutamos e fracassamos nesta vida. Às vezes, tentações que poderiam ser superadas nos derrotam. Força e determinação desaparecem, e nossa carne prossegue declarando guerra contra nós durante todo o tempo em que respiramos. Embora, em algumas ocasiões, a luta e o fracasso nos levem a querer desistir, é fundamental que não façamos isso, mas continuemos; que nos arrependamos do nosso pecado e retomemos a corrida. Quando falhamos em ser fiéis ao nosso Senhor, pedimos a ele graça para continuar avançando por meio da oração e da leitura de sua Palavra, sabendo que não podemos fazer nada sem a companhia do nosso Salvador (Jo 15.5). Em meio a tudo isso, somos lembrados de que dependemos do amor e da graça do nosso Redentor.

Mas, vamos admitir, nós colocamos tudo a perder. Falhamos diariamente, de hora em hora. Até mesmo nossa menor ofensa merece toda a ira de Deus. Isso é difícil de ouvir se esquecemos que Deus não só cobriu nosso pecado em Cristo como também permite que nos aproximemos dele continuamente a fim de que recebamos graça renovada. Sabemos ainda que Deus é piedoso — isso para não falar de sua perfeição, glória e majestade. Somos pecadores e pecamos todos os dias.

Como comenta o reformador protestante Martinho Lutero, o cristão é *simul justus et peccator*, expressão latina para "simultaneamente justo e pecador". E, embora sejamos pecadores e lutemos todos os dias contra o pecado que há em nós, nosso Senhor não nos vê como tal! A justiça imputada a Jesus cobre o nosso pecado; Jesus levou nosso pecado e transferiu a nós a justiça que era dele. Deus olha para nós e vê retidão ainda que lutemos contra o pecado. Tamanha graça não faz você querer combater a iniquidade e perseverar na batalha, sabendo que o pecado já está perdoado?

O temor de Deus

Nosso pecado deve nos fazer lastimar, mas não pode nos condenar porque servimos a um Deus que é bom e benevolente, muito embora também santo e justo. Então, o que fazer com esse paradoxo entre nossa pecaminosidade e a santidade divina, que se fixa tão firmemente em nós? Arrepender-nos e receber a maravilhosa graça de Deus.

Eu tinha pavor de Deus. Sim. Foi isso mesmo o que eu disse. Ele me fazia lembrar de quando eu, ainda criança, imaginava como seria o bicho-papão. Eu pensava: "Lá está ele de novo, aquela estranha sombra escura espreitando no armário". Parecia tão imprevisível: "O que ele vai fazer agora? O que pode acontecer? Será que ele vai dar um pulo e me pegar?". Amedrontada, eu me aninhava em minha cama, esperando o bicho-papão saltar para fora do armário e me pegar.

Quando me tornei cristã, percebi que eu costumava me relacionar com Deus na base daquele medo infantil do bicho-papão. Sentia que não tinha muito controle sobre a minha vida. Em vez de entender que estava nas mãos de um Pai bom e amoroso, eu o via como tirânico. "Ele controla tudo", eu pensava, "mas somente na cruz demonstrou amor" (o que, claro, teria sido suficiente). Sim, eu realmente pensava que Deus era como o bicho-papão esperando o momento certo para me punir ou causar algum mal.

Que triste isso. Se conhecemos Deus apenas como o governante soberano do universo, é improvável que confiemos nele. Somente quando entendemos o imenso amor de Deus é que começamos a considerá-lo bom e afável.

Portanto, sim, as coisas difíceis da vida vêm da mão amorosa de Deus (1Pe 1.3-9; Hb 12.3-17). No entanto, podemos descansar no conhecimento de que seus pensamentos não são os nossos pensamentos, de que seus caminhos não são os nossos caminhos; e de que ele está sempre atento a nós (Sl 8.4; Is 55.8).

Vemos evidências disso em Isaías 55, que começa com um chamado urgente para nós:

> Alguém tem sede? Venha e beba,
> mesmo que não tenha dinheiro!
> Venha, beba vinho ou leite;
> é tudo de graça!
>
> Isaías 55.1

Deus se deleita em atender às nossas necessidades (sejam elas espirituais, sejam de outra esfera). Temos um Pai que nos convida ao trono da graça para recebermos ajuda (Hb 4.16). E, embora na condição de jovem cristã eu não entendesse completamente o significado da cruz, agora compreendo que Deus demonstrou seu amor por nós mediante o sacrifício de seu Filho em nosso favor. Existe amor maior que esse?

Deus não é o bicho-papão. Ele é o Deus soberano, amoroso e magnífico que veio para redimir um povo para si. Ele é bom e nos ama incansavelmente. Assim, conhecendo seu caráter amoroso, disciplinamo-nos a nos arrepender diariamente do pecado pelo qual Cristo já morreu. Saber disso me permite ser honesta quando falho.

Caminhando na luz

Um dos muitos efeitos colaterais que experimentei ao envelhecer é uma inabilidade de ver a estrada quando dirijo à noite. Tudo brilha. Se chove, é como se alguém estivesse acendendo uma luz brilhante dentro dos meus olhos. Como adulta responsável que sou, devo consultar quanto antes um oftalmologista; enquanto isso, saio por aí dirigindo no escuro, cega como um morcego.

Felizmente, não temos de fazer isso enquanto cristãos. Nós vimos a luz. O evangelho trouxe luz à escuridão. E essa luz não ofusca: é uma dádiva da graça que nos purifica e nos guia.

Você tem andado por aí como se ainda estivesse no escuro? Deus o chama para andar na luz, ou seja, para caminhar na bondade e na graça de Deus, vivendo uma vida que reflete o Salvador e andando de maneira digna do evangelho.

O arrependimento é uma das formas mais evidentes de se andar nessa luz. O apóstolo João nos diz: "Portanto, se afirmamos que temos comunhão com ele mas vivemos na escuridão, mentimos e não praticamos a verdade" (1Jo 1.6). Andar na escuridão é andar tendo conhecimento do pecado e, mesmo assim, ignorar esse conhecimento, ou andar como se estivéssemos completamente isentos de pecado, nunca buscando o arrependimento (1Jo 1.8). A graça divina nos permite não apenas reconhecer que continuamos a lutar contra o pecado, mas também a nos afastar dele.

Vemos claramente que andar na luz não nos torna perfeitos — nem chegamos perto disso. Nunca alcançaremos a perfeição nesta terra. É por isso que o arrependimento é um dom tão gracioso do nosso Deus. "Mas, se confessamos nossos pecados, ele é fiel e justo para perdoar nossos pecados e nos purificar de toda injustiça" (1Jo 1.9). Quanta graça!

Confessamos nossos pecados a Deus, reconhecendo nossa enorme necessidade de que ele nos afaste do pecado, e o que Deus faz? Ele faz o que já fez antes: derrama a graça de que precisamos para mudar. Sua ira foi reservada a Jesus. Não recebemos punição nem ira por causa dos nossos pecados; recebemos graça. Há, é claro, consequências para o pecado; ainda assim, nossa posição diante de Deus não muda. Deus é soberano e governa tudo.

Deus é santo; entretanto, por causa de Jesus, podemos nos aproximar dele. "Pois Deus fez de Cristo, aquele que nunca pecou, a oferta por nosso pecado, para que por meio dele fôssemos declarados justos diante de Deus" (2Co 5.21). Que graça surpreendente e indescritível! Não caminhe até o trono da graça; corra! Não ande como um cego se você pode andar na luz que foi colocada à sua disposição. Confesse seu pecado e receba a graça. Não há condenação para você.

Os faróis iluminam nosso caminho apenas tanto quanto dirigimos; não podemos ver tudo o que está adiante de nós. O curto alcance dos feixes de luz garante a segurança da viagem à medida que seguimos na estrada, e precisamos da luz a cada trecho percorrido. Conforme avançamos e perseveramos, precisamos que o Senhor ilumine nosso caminho e nos ajude a iluminar a escuridão. Ele, em sua graça, nos dá sua

Palavra a fim de revelar sua própria natureza, sua vontade e seu anseio por nós, Palavra essa que, de fato, é lâmpada para os nossos pés e luz para o nosso caminho (Sl 119.105). Não suportamos o arrependimento sozinhos: Deus está conosco, revelando nosso pecado para que possamos ser cada vez mais como seu Filho. Deus quer cumprir sua promessa de concluir a boa obra que começou, e ele irá cumpri-la (Fp 1.6).

Encontrando o caminho em meio à escuridão

Hoje, você pode se perguntar se já se arrependeu de verdade. Se acha que não, peça ao Senhor um coração quebrantado e contrito, o tipo de coração que reconhece o mal que fez contra Deus e, possivelmente, contra outros. Trata-se de uma disposição interior que nos torna capazes de admitir: "Pequei contra ti, somente contra ti" (Sl 51.4). Ouvi dizer que, quando confessamos, nosso pecado já está perdoado. Então, peça a Deus que o faça saber o que pode confessar. Como o rei Davi escreveu: "O sacrifício que desejas é um espírito quebrantado; não rejeitarás um coração humilde e arrependido" (Sl 51.17).

Ah, como conheço o dano de resistir ao chamado para me humilhar. Lembro-me de uma época, no relacionamento com uma amiga, em que eu estava profundamente magoada e permiti que essa dor se transformasse em ódio. Sim, eu a odiei; não posso dourar a pílula. Mas meu rancor estava me machucando. Eu me debatia contra a irritação toda vez que, de alguma forma, confrontava essa amiga. Também lutava contra o medo de deparar com ela. Eu estava paranoica em meu orgulho, com receio de que ela me difamasse. Foi horrível. Foi pecado. E o Senhor foi fiel para me mostrar minha falta de perdão e meu ódio a fim de que eu pudesse me arrepender, estender o perdão e o amor a quem me era próxima e aproveitar a vida. Foi tão libertador!

Eu odeio o pecado. Ele é repulsivo e perturba a vida. Acaba com relacionamentos preciosos; confunde a mente. O pecado é grosseiro e se dissemina até afetar nosso âmago. Por vezes, causa estragos, mas, possivelmente, seu maior impacto recai sobre nossa capacidade de obedecer aos mandamentos de amar a Deus de todo o coração, de toda a alma e de toda a mente, e de amar o próximo como a nós mesmos. Talvez essa tenha sido uma das razões pelas quais Paulo usou versículos sobre o amor para repreender os coríntios quanto ao egoísmo e à segregação em que viviam.

Aprendendo com o amor

No "capítulo do amor" escrito por Paulo, lemos:

> O amor é paciente e bondoso. O amor não é ciumento, nem presunçoso. Não é orgulhoso, nem grosseiro. Não exige que as coisas sejam à sua maneira. Não é irritável, nem rancoroso. Não se alegra com a injustiça, mas sim com a verdade. O amor nunca desiste, nunca perde a fé, sempre tem esperança e sempre se mantém firme.
>
> 1Coríntios 13.47

A despeito de quanto estejamos familiarizados com esses versos, eles realmente descrevem o amor. Os coríntios tinham dificuldade para amar uns aos outros. Isso se revelou de várias maneiras, mas foi evidenciado mais claramente em sua busca por dons espirituais. Alguns consideraram seus dons (ou talvez certos dons) como sendo superiores aos de outros. Paulo lembrou-lhes: "Existem tipos diferentes de dons espirituais, mas o mesmo Espírito é a fonte de todos eles" (1Co 12.4). Então, o apóstolo passou um tempo considerável explicando que a igreja é composta de muitas partes, mas forma um só corpo (1Co 12.12-30). Depois de tudo isso, Paulo deixou claro que é possível usarmos os dons para nos promover e, assim, desperdiçá-los — sem amor verdadeiro pelos outros, apenas por vantagem e glória egocêntricas (1Co 13.1-3).

A reprimenda ao egoísmo dos coríntios é a mesma reprimenda aplicável ao nosso egoísmo e aos muitos desejos e embates pecaminosos que tanto se prendem a nós. Se o amor é paciente e bondoso, podemos lutar para aprender a nos revestir de gentileza e bondade. O amor não insiste em seu próprio caminho — o orgulho, sim —, por isso pedimos a Deus que nos dê humildade. O amor não é irritável nem rancoroso, portanto toda relação deve ser embebida da paciência e da clemência que só podem vir do poder de Cristo. O amor é tolerante para com os outros e não é egoísta; acredita na verdade e no melhor interesse até que se prove o contrário. O amor deseja que aconteça o melhor em todas as situações, segundo o evangelho que reconcilia. O amor resiste em meio a dificuldades e problemas.

O amor não desiste.

Agora, caso você se pareça comigo, depois de ler e refletir sobre essas ordens para amar, provavelmente está implorando a Deus por ajuda. Nós não amamos como deveríamos; falhamos miseravelmente. Mas Deus nos deu seu Espírito e sua graça, que nos capacita e fortalece. Nós não amamos os outros porque somos bons; nem mesmo amamos a Deus por causa de algo que venha de nós. "Nós amamos porque ele nos amou primeiro" (1Jo 4.19). Essa é uma ótima notícia, pois significa que podemos pedir que Deus, aquele cujo poder tornou nosso coração de pedra em coração de carne e nos habilita a amá-lo, use esse mesmo poder para nos habilitar a amar o nosso próximo como a nós mesmos. Sim, por vezes falharemos, mas há arrependimento e perdão disponíveis. Peçamos ajuda a Deus para abandonar esse desprezível pecado do egoísmo e amar.

O teólogo africano Agostinho de Hipona entendeu o que é esse coração quebrantado e contrito que o Senhor deseja que experimentemos. Em suas *Confissões*, escreveu: "'Que darei ao Senhor' (Sl 116.12), que me traz à memória tais coisas? Minha alma, porém, não sente medo de rememorá-las. A ti amarei, Senhor, e te darei graças e teu nome confessarei porque tu me perdoaste esses meus graves e horríveis feitos".[1]

Compreender verdadeiramente nosso pecado e o respectivo perdão de Deus não é algo que deve nos levar ao desespero; em vez disso, deve nos conduzir ao amor e à gratidão. Deus perdoou muita coisa; por isso, há algo de bonito na crueza da escrita de Agostinho e na simplicidade desta proclamação em particular: "A ti amarei, Senhor, e te darei graças e teu nome confessarei".

Talvez isso seja tudo de que precisamos para abandonar o pecado e apreciar o Senhor. Talvez seja por isso que Deus ordena que o amemos com tudo o que há em nós (Mt 22.37). Quando o amamos, nada mais nos satisfaz — e isso inclui o nosso pecado.

Experimentando liberdade em meio à luta

Minha consciência já foi incrivelmente fraca. Quando um sermão era pregado, qualquer que fosse o conteúdo eu me sentia condenada. Se alguém manifestava algum tipo de repreensão em uma reunião de pequeno grupo, eu dava um jeito de aplicá-la ao meu coração. Acho que tudo começou quando aprendi sobre a depravação humana. Levei ao extremo a ideia de que somos pecadores — mortos e sem esperança quando distantes Jesus. Aprendi que tudo o que fazemos está repleto de pecado e, em consequência, fiquei paralisada. Eu me perguntava se poderia fazer algo bom ou desprovido de motivos ruins. Essa situação me fez desconfiar de todo mundo, pois eu pensava: "Se isso for verdade, ninguém é confiável". E durante anos caminhei no medo e no desespero.

Minha compreensão e, talvez, o ensinamento dos que me cercavam careciam da *imago Dei*. Sim, eu estava morta em minhas transgressões antes de conhecer Jesus, mas também fui criada à imagem de Deus antes de aceitar Jesus como meu Senhor e Salvador. Isso significa que, de fato, há aspectos da natureza humana capazes de refletir nosso Senhor e até glorificá-lo antes mesmo da conversão. Agora creio nisso de todo o meu coração.

Embora eu também acredite sinceramente que não podemos fazer nada sem o nosso Senhor, acho que podemos inconscientemente realizar coisas que o refletem. Não temos de reconhecer que nosso deleite em um pôr do sol se deve ao nosso Deus Criador, mas, quando nos deleitamos — assim como Deus se deleita —, somos um reflexo dele.

Quando vemos beleza em alguém é porque essa pessoa foi criada por Deus? Eu acredito que sim. Se podemos ver a humanidade das pessoas e nos alegramos por causa delas, não é porque elas são *apenas* pessoas. Elas carregam a *imago Dei*.

E por que rimos? Porque refletimos nosso Deus misericordioso, belo e alegre. Por que desejamos servir aos pobres e cuidar deles? Por que vemos alguém cair e nos curvamos para ajudá-lo a se levantar? Não paramos e pensamos: "Eu deveria ajudá-lo, mas, se fizer isso, talvez ele pense que estou apenas querendo chamar atenção para mim". Esse nível de autoavaliação é opressivo.

Nada do que fazemos é perfeito; somente Jesus é perfeito (1Pe 2.22). No entanto, não precisamos andar por aí com medo de pecar. Que liberdade é essa? Se Cristo nos libertou, então somos realmente livres (Jo 8.36). Mas, se nos mantivermos conscientes do nosso pecado, não seremos de fato livres. Para ser mais clara: de forma nenhuma estou indo na direção oposta e dizendo que não precisamos estar cientes do pecado. O apóstolo Paulo nos ajuda a compreender isso: "Pois bem, devemos continuar pecando para que Deus mostre cada vez mais sua graça? Claro que não! Uma vez que morremos para o pecado, como podemos continuar vivendo nele?" (Rm 6.1-2). Não, não desejamos continuar pecando só para que a graça aumente. Somos instruídos a confessar nossos pecados (1Jo 1.9), e a bondade de Deus leva ao arrependimento (Rm 2.4). Sim, é a bondade dele que faz isso.

Aqui está outro aspecto de minha consciência fraca que foi revelado: eu tinha uma necessidade constante de pedir perdão aos outros. Sentia que, se fizesse isso, a culpa seria limpa de modo que eu pudesse seguir em frente. Claro, isso era orgulho mascarado de humildade. Não precisamos nos arrepender para nos sentirmos melhor acerca de nós mesmos ou para sentirmos que podemos nos aproximar do Senhor *imediatamente*. Nós nos arrependemos porque Deus é gentil em nos mostrar mais dele mesmo — e mais dele significa menos de nós. Mais dele é o mesmo que santificação: ser feito à semelhança de Jesus de um estágio de glória a outro (2Co 3.18). Nós nos arrependemos por causa da culpa, mas não a culpa opressiva que tantos de nós nos infligimos.

Não quero entristecer o Espírito com meu pecado, mas me pergunto se o modo como tantas vezes sondei meu coração não foi igualmente doloroso. Eu dizia ao Senhor que o que

Jesus fizera na cruz não fora suficiente. Claro, eu já não estava condenada pelos erros que cometi no passado, mas, no fundo, lutava para acreditar que o sacrifício de Jesus pudesse cobrir meus pecados atuais. E, embora existam passagens bíblicas sobre fazer o bem, amar os outros, servir com coração alegre, e assim por diante, não há como eu fazer isso sozinha. Mas esta é uma verdade acerca de nosso maravilhoso e bom Deus: ele não vai ordenar que façamos algo sem nos dar graça e força para tal. Por saber que nunca seríamos capazes de fazer tudo o que nos ordenou, enviou seu Filho Jesus para que fosse o substituto perfeito (*perfeito!*).

Avançando de maneira imperfeita

Os últimos anos me trouxeram renovação. Agora, entendo que estou avançando imperfeitamente, mas existe graça disponível para você e para mim. Há graça em servir por motivos puros. Há graça em amar sem querer algo em troca. Há graça em alegrar-se e não se sentir culpado por haver destruição por toda parte. Há graça em viver e fixar os olhos em Jesus e em sua bondade, não na nossa (ou na falta da nossa).

Se você está paralisado pela consciência do pecado em sua vida, lembre-se do evangelho, pois ele não serve apenas à nossa conversão, mas também à nossa vida diária. Lembre-se de tudo — não somente que ele morreu por seus pecados, mas que ressuscitou e venceu a morte. Lembre-se de que o acusador quer que você fique paralisado pelo pecado de modo que não seja eficaz para o reino. Jesus realmente é superior. Lembre-se de que ele afastou seu pecado "tanto como o oriente está longe do ocidente" (Sl 103.12).

10
Não vá sozinho

....

O amor nunca desiste, nunca perde a fé, sempre tem esperança e sempre se mantém firme.

1Coríntios 13.7

....

Esta corrida que nos foi dada não é um chamado para um esforço solitário. Devemos agir em comunidade, incentivando, apoiando, desafiando e edificando uns aos outros. Somos uma equipe. Se agirmos sozinhos, estaremos contrariando o modo como Deus projetou que vivêssemos. Precisamos de ajuda ao longo do caminho, e precisamos servir de incentivo e apoio a outros também. Por vezes, porém, a comunidade é difícil e pode dificultar nossa perseverança.

Comentei com um antigo pastor que, bastava que eu vivesse de determinada maneira exteriormente, conformando meu comportamento às normas cristãs aceitas naquela igreja local, para que ninguém ali dentro jamais questionasse minha caminhada com Deus. Eles assumiriam, pelo que observassem, que eu estava andando em fiel obediência a Deus.

As práticas externas compartilhadas pelos membros de minha igreja eram coisas boas de se fazer. O problema surgiu quando, em certo ponto, alguns deles distorceram o evangelho, equiparando determinadas práticas à piedade e colocando questões de preferência pessoal no mesmo nível da Palavra de Deus.

Talvez você também tenha vivenciado isso no contexto em que está inserido. Alguns têm em alta conta aspectos como participar de pequenos grupos, enquanto outros privilegiam a escola que escolheram para seus filhos. O que se passa no coração daqueles que vivem de determinada maneira parece não importar, pois basta que sigam as práticas aceitáveis para serem automaticamente considerados piedosos.

Aquela foi uma época difícil para mim, pois eu estava tentando discernir o que era a verdadeira piedade e o que era alimentado pela cultura e pelo legalismo. Lutei para entender a graça. Lutei para entender o evangelho. E me esforcei para saber o que é verdade e o que é apenas opinião. Eu não tinha certeza se voltaria a amar a igreja. Eu não tinha certeza se queria ir à igreja. Mas sobrou algo — Alguém — maior me puxando para aquela instituição gloriosa e imperfeita.

Em Efésios 5.22-33, há instruções específicas sobre como marido e mulher devem se relacionar. Ao mesmo tempo, Paulo também nos deu um belo retrato do evangelho e de como o casamento cristão reflete o relacionamento entre Cristo e sua igreja.

> Esposas, sujeite-se cada uma a seu marido, como ao Senhor. Pois o marido é o cabeça da esposa, como Cristo é o cabeça da igreja. Ele é o Salvador de seu corpo, a igreja. Assim como a igreja se sujeita a Cristo, também vocês, esposas, devem se sujeitar em tudo a seu marido.
>
> Maridos, ame cada um a sua esposa, como Cristo amou a igreja. Ele entregou a vida por ela, a fim de torná-la santa, purificando-a ao lavá-la com água por meio da palavra. Assim o fez para apresentá-la a si mesmo como igreja gloriosa, sem mancha, ruga ou qualquer outro defeito, mas santa e sem culpa. Da mesma forma, os maridos devem amar cada um a sua esposa, como amam o próprio corpo, pois o homem que ama sua esposa na verdade ama a si mesmo. Ninguém odeia o próprio corpo, mas o alimenta

e cuida dele, como Cristo cuida da igreja. E nós somos membros de seu corpo.

"Por isso o homem deixa pai e mãe e se une à sua mulher, e os dois se tornam um só." Esse é um grande mistério, mas ilustra a união entre Cristo e a igreja. Portanto, volto a dizer: cada homem deve amar a esposa como ama a si mesmo, e a esposa deve respeitar o marido.

Efésios 5.22-33

Temos a tendência de nos concentrar apenas nas ordens dadas às esposas e aos maridos nessa passagem. Mas não desconsidere tudo o que Deus está dizendo sobre o que Jesus realizou por meio da cruz. Em Efésios 5, há um vislumbre do amor conjugal que Jesus tem por sua noiva, a igreja. A igreja não é uma forma pragmática de organizar os cristãos para obter o máximo de eficácia — é muito mais que isso. A igreja é objeto de intenso foco e amor de Jesus. Estas são as maneiras pelas quais o Novo Testamento fala sobre o amor de Jesus pela igreja:

- Cristo é a cabeça da igreja. Ele é a razão pela qual a igreja existe. Sem Cristo, não há igreja (Cl 1.18).
- Jesus é o Salvador da igreja. Sua morte abriu caminho para as pessoas se aproximarem de Deus, e, agora, somos considerados irmãos e irmãs em Cristo (Ef 3.12; Rm 12.5).
- Cristo amou a igreja e se entregou por ela (Rm 5.8). Essa é a incrível demonstração do amor de Deus por nós.
- Jesus santifica e purifica sua noiva, a igreja (1Jo 1.9; Fp 1.6).
- Jesus está conosco, intercede por nós e um dia apresentará sua noiva, que será tão imaculada como ele (Rm 8.34; 1Co 1.30; 1Jo 3.2).
- Cristo não odeia o próprio corpo; ele o nutre (Ef 5.29).

Quando você lê essas verdades e percebe que elas se aplicam a você, isso não faz seu coração cantar? É incrível quanto Jesus ama seu povo. E sabemos que essas verdades não se referem a apenas um indivíduo, mas à igreja como um todo — ou seja, a todas as pessoas que confiaram em Jesus para sua salvação. Se Jesus ama tanto a igreja, não há dúvida de que devemos amá-la também.

Entender tudo o que Jesus fez me motiva a prosseguir para amar e servir o corpo. Jesus foi condenado, assim como nós. A diferença é que ele nunca pecou. Nós, no entanto, pecaremos contra os outros e precisaremos da graça que Jesus providenciou.

Desde que me tornei cristã, integrei algumas igrejas locais, que apresentavam alegrias e tristezas muito próprias. Mas sei que preciso da igreja e que a igreja precisa de mim. Não somos chamados a andar por fé sozinhos. Em 1Coríntios 12.12-26, Paulo nos deu uma imagem de quanto necessitamos uns dos outros: a igreja é um corpo com muitas partes, cada parte tendo um papel importante a desempenhar. Se quisermos participar da corrida, precisaremos não apenas de pernas e pés, mas também de coração, pulmões, olhos e ouvidos, sistema circulatório e sistema digestório. Precisamos de todas as partes para terminar a corrida que nos foi proposta.

Mas, se permitirmos que as feridas e o pecado dividam o corpo, ele simplesmente não funcionará como deveria. Por causa do pecado, a igreja sempre será uma família ligeiramente disfuncional, mas podemos crescer continuamente no amor mútuo. Esse tipo de crescimento só é possível quando fixamos os olhos na cruz de Cristo e em nosso Rei ressurreto. O sacrifício de Jesus nos habilita a amar a igreja imperfeita e contribuir com ela, sabendo que um dia ele voltará para sua noiva e nós o adoraremos em unidade perfeita.[1]

A beleza da igreja

Você e eu precisamos enxergar a importância e a beleza da igreja, bem como a necessidade de ela perseverar nos tempos difíceis causados por nosso pecado. Quando temos essa visão da beleza da igreja, mesmo em meio a toda sua fragilidade, não basta simplesmente concordar que "igreja" é um conceito bíblico. A igreja é um povo com quem vivemos. A igreja é uma família — a família de Deus (Ef 2.19-22). Se vocês realmente estão em comunidade, compartilhando da vida uns dos outros, sendo sinceros quanto ao pecado, reunindo-se e encorajando uns aos outros, então, em algum momento, vocês vão agir mal um contra o outro.

Não somos indivíduos isolados; temos um histórico familiar. Algumas pessoas conseguem rastrear seus ancestrais de centenas de anos atrás. Da mesma forma, a fé que temos foi herdada de antepassados e ancestrais fiéis que nos precederam ao longo dos séculos. E essa comunhão de santos se estende através do tempo e do espaço, permitindo-nos tomar parte na corrida para o futuro. Jesus disse que as portas do inferno não prevalecerão contra a igreja (Mt 16.18). O que ele sente por sua igreja me faz lembrar que vale a pena lutar por essa família de Deus, da qual somos parte, mesmo quando parece difícil demais suportar a tensão dos relacionamentos e das tristezas vividos na igreja.

Você provavelmente já ouviu dizer que a igreja não é um edifício. Mas viver essa realidade implica muito mais que frases de efeito e lugares-comuns. Dizer que somos uma família também não é novidade. Para alguns, frequentar a igreja é fácil, o difícil é construir relacionamentos. Contudo, pelo fato de precisarmos uns dos outros e de, às vezes, a vida ser confusa e permeada de circunstâncias intransponíveis, é importante prosseguir vivendo como igreja para além de frequentar a congregação uma vez por semana. Na verdade, isso é essencial à fé para a qual Deus nos chamou. Assim como precisamos enxergar a igreja sob um ponto de vista teológico, é necessária uma perspectiva semelhante para que a vida na igreja se manifeste. Precisamos de algo de que trata a Palavra de Deus: discipulado.

O discipulado pode ocorrer de muitas formas. Pode ser tão simples quanto convidar alguém para ir até sua cozinha a fim de organizarem juntos um almoço rotineiro. Seja como for, envolve honestidade, busca de conselhos, Escrituras e alguém disposto a fazer tudo isso. O corpo de Cristo não existe somente para nos reunirmos aos domingos e, então, tocarmos a vida adiante. A Palavra de Deus ilustra um quadro de fiéis participando da vida uns dos outros (At 2.44-47).

Buscar conselhos e ser discipulado são duas maneiras de convidar as pessoas a tomarem parte em sua vida. Elas não saberão detalhes sobre sua história a menos que você esteja disposto a compartilhá-los. A disposição para ser discipulado por outra pessoa abre oportunidade para a oração e o encorajamento mútuo. Buscamos um ao outro porque somos membros do corpo de Cristo (Ef 5.30). O Pregador em Eclesiastes escreveu: "É melhor serem dois que um, pois um ajuda o outro a alcançar o sucesso. Se um cair, o outro o ajuda a levantar-se. Mas quem cai sem ter quem o ajude está em sérios apuros!" (Ec 4.9-10). Ele escreve sobre a vaidade de tentar trabalhar sozinho para superar os outros.

Realizar coisas não é o único benefício do trabalho coletivo. Dois são melhores que um enquanto vivemos nossa fé em Cristo. De fato, necessitamos um do outro, embora, muitas vezes, tentemos seguir sozinhos. Precisamos de instrução e de repreensão, ainda que raramente as busquemos. É por isso que o discipulado é tão importante.

Podemos ser tentados a pensar que sabemos o que é melhor para nós. Como você já ouviu, e talvez já disse: "Ninguém nos conhece melhor do que nós mesmos".

As Escrituras dizem que podemos estar mais confusos do que supomos. O coração é enganador; então, confiar sempre em si mesmo não é o melhor caminho a seguir (Jr 17.9). Um sábio conselho de um amigo, pastor ou alguém de sua comunidade pode ser justamente algo que Deus use para proteger você.

Um provérbio diz que o sábio ouve e aprende, e recebe conselhos sensatos (Pv 1.5). Assim, podemos seguramente assumir que o imprudente não ouve os outros; ele os silencia e ignora. Ele não alcançará compreensão e não receberá conselhos sábios. Portanto, precisamos resistir à tentação de sermos sábios aos nossos próprios olhos (Pv 3.7), o que não é fácil! Ao buscar entendimento, devemos, primeiro, reconhecer que nem sempre sabemos o que é melhor.

Paulo escreveu que as mulheres mais velhas da igreja devem ensinar o que é bom e instruir as mulheres mais jovens (Tt 2.3), isto é, devem prepará-las para que andem em sintonia com a verdade do evangelho. E isso não é apenas uma sugestão — é a instrução de Deus sobre como devemos nos relacionar uns com os outros. Esse é o "discipulado um a um", mais uma confirmação de que precisamos uns dos outros. Não podemos obedecer às ordenanças de Tito 2 sem que desejemos ser discipulados (e sem que estejamos disponíveis e dispostos para discipular outros).[2]

Eu me tornei cristã quando adulta. Uma das primeiras coisas que o Senhor fez depois de me salvar foi esclarecer para mim sua Palavra no que se refere à família de Deus. Esses primeiros e preciosos anos da minha nova fé teriam sido difíceis sem a amizade e sem a comunhão consistente daqueles que me acompanhavam em minha igreja local. O Senhor providenciou especialmente uma mulher branca de Chicago e uma mulher da primeira geração de imigrantes chineses em Nashville. (Compartilho suas etnias porque, para mim, foram respostas de oração. Eu ansiava por diversidade de amigos, e o Senhor me deu isso de imediato.) Nós nos encontrávamos a cada duas semanas para compartilhar a vida uma da outra, confessar pecados, orar uma pela outra e dar boas risadas. Aquilo foi um presente.

Quando me converti, eu estava muito entusiasmada com Jesus, mas, assim como num matrimônio, o relacionamento só começou no casamento. Haveria uma vida inteira de aprendizado e crescimento.

Eu sabia que precisava de outras pessoas que me ajudassem, assim como você também precisa. A consistente prestação de contas para outros em minha igreja tem sido uma forma de proteção divina. Até hoje, embora esteja mais adiantada na caminhada do que estava há uma década, sei que ainda sou capaz de pecar (1Co 10.12). Sou uma nova criatura e tenho o poder do Espírito, mas não é mais surpresa o fato de que, quando quero fazer o bem, "o mal está presente em mim" (Rm 7.21). Entender que estamos todos jogando no mesmo time (todos pecamos) significa que podemos nos abrir livremente com amigos próximos e confiáveis. A prestação de contas nos permite confessar padrões de tentação. Ao fazer isso, nós nos privamos de transgressão real.

A questão por trás dos relacionamentos na igreja não implica apenas confessar pecados e ouvir palavras duras de repreensão. Embora as feridas de um amigo sejam um sinal de sua fidelidade (Pv 27.6), a comunhão e a construção de relacionamentos na igreja também devem ser um tempo de edificação e encorajamento mútuos na direção da bondade e da graça de Deus encontradas na cruz de Cristo. Sem o corpo da igreja, não conseguimos ler nem aplicar boa parte do Novo Testamento. A igreja possibilita que pratiquemos os versículos do tipo "uns aos outros" presentes nas Escrituras. Minhas amigas e eu lembrávamos umas às outras quem somos em Cristo: totalmente aceitas, filhas do Altíssimo e perdoadas. Recordávamos uma à outra que conhecíamos Jesus — ele é nosso, e nós somos dele — e que podemos nos aproximar dele e de seu trono de graça.

Em comunidade, temos a chance de expressar amor genuíno, pois Deus transformou nossos amigos em irmãos. Somos irmãos e irmãs em Cristo; como tal, devemos nos devotar uns aos outros (Jo 15.17; Rm 12.10). E somente dispomos dessa chance se não negligenciamos nossas reuniões (Hb 10.25). A vida em Cristo exige esforço, compromisso e sacrifício. No final, seremos gratos por isso.

Em última análise, os verdadeiros relacionamentos na igreja podem ser um meio pelo qual Deus nos atrai para si. A autossuficiência diz que não precisamos de ninguém, mas a humildade clama pelo socorro daqueles que Deus colocou em nossa vida. O hábito da confissão e da oração mútuas inevitavelmente nos ensinará como lançar nossas preocupações sobre aquele que pode suportar totalmente seu peso e que nos ama com amor infalível (1Pe 5.7). Em sua graça, Deus nos lembra de que, sem ele, nada podemos fazer. E os irmãos e irmãs que ele coloca em nossa vida são um ótimo lembrete disso.[3]

Não vá sozinho. Você foi feito para a comunhão e é necessário em sua comunidade. Caso não tenha uma, ore para que o Senhor lhe dê uma igreja que você possa chamar de lar.

A caminhada cristã é bastante difícil; escolher realizá-la por conta própria não é o plano de Deus para você. Eu sei que isso soa forte e direto. Por mais desordenada que a igreja possa ser, essa foi a exata razão pela qual Jesus veio e morreu. Ele morreu por pessoas complicadas como você e eu, e chama todos nós, essa gente atrapalhada, a nos juntarmos a fim de proclamarmos unidade e paz a um mundo quebrantado. Como Natasha Robinson compartilha em seu livro *A Sojourner's Truth* [A verdade de um peregrino]: "Todos nós somos pessoas frágeis e imperfeitas chamadas para servir gente frágil e imperfeita".[4]

Isso é radical. E é verdadeiro.

Nunca estamos sozinhos

A maioria dos abortos espontâneos tem pouco ou nenhum sintoma, mas no meu havia muitos deles. No início da gravidez, as coisas não iam bem, e eu ficava facilmente sem fôlego e tonta. Alguns dias depois de um telefonema apreensivo para a minha enfermeira, veio o sangramento. Eu estava em casa, sozinha, sentindo uma dor lancinante.

Quando fiquei grávida pela primeira vez, meu marido e eu presumimos que um bebê nasceria nove meses depois. O aborto nunca passou pela nossa cabeça. Várias das minhas amigas estavam tendo bebês, e tudo parecia muito fácil. Portanto, minha perda foi solitária.

As pessoas disseram todo tipo de coisa para me animar: "Você vai engravidar de novo", "Você poderá segurar seu bebê no céu", "Pelo menos foi no início da gravidez". Tínhamos anunciado nossa gravidez assim que soubemos dela; então, também houve quem perguntasse sobre o bebê meses após o aborto. Aquilo parecia uma eterna recordação de nossa perda.

Então, aconteceu novamente.

Poucos meses depois do primeiro aborto, pensando que as chances de uma segunda perda eram mínimas, começamos a tentar engravidar. Ficamos emocionados quando engravidei novamente; vimos esse bebê como uma resposta às nossas orações. Durante essa gravidez, sempre que sentia algo eu me perguntava sobre um possível aborto, mas estava muito feliz por essa nova gestação. Então, fizemos um ultrassom de rotina, e não havia batimento cardíaco. O aborto espontâneo aconteceu e trouxe complicações. Meu corpo não respondeu bem ao medicamento, deixando-me com uma doença estomacal crônica.

Depois do segundo aborto, o medo e a confusão reinaram em minha mente e em meu coração. Como eu poderia entender um Deus soberano e bom no meio disso tudo? Por que minha amiga, que não queria filhos, podia tê-los tão facilmente, mas eu não? Eu me sentia amargurada — e arrasada. Perguntei a meu marido se poderíamos suspender qualquer tentativa de engravidar, a fim de que meu coração, mente e corpo pudessem ser curados.

O Senhor me revelou que a mistura de isolamento, medo e desânimo que eu sentia não era uma anomalia. Jesus foi negado e abandonado por seus amigos. Ele implorou, no jardim, que o Senhor afastasse o cálice e, então, prosseguiu pela terrível e solitária estrada em direção à cruz. E como poderíamos esquecer o clamor do nosso Salvador ao morrer na cruz: "'*Eli, Eli, lamá sabactâni*?', que quer dizer: 'Meu Deus, meu Deus, por que me abandonaste?" (Mt 27.46)?

Deus proveu consolação por meio do sofrimento de seu Filho. Eu não estava sozinha em minha dor. E ele começou a revelar a mim que me entendia e me amava profundamente. Eu não tinha outro lugar aonde ir a não ser ele, e ele respondeu ao meu clamor no deserto. Era reconfortante perceber que não havia problema em estar no deserto. Jesus não foi para a cruz vibrando e batendo palmas. Ele estava triste — triste por este mundo e pela dor e separação de seu Pai, uma dor e separação que ele sabia que teria de suportar. Portanto, estava tudo bem se eu chorasse. Em meio às lágrimas, encontrei grande esperança, pois sabia que não estava orando a um salvador morto. Ele havia ressuscitado e estava, de fato, intercedendo em meu favor.

A igreja também começou a se reunir ao meu redor de maneiras que eu nunca havia experimentado (ou esperado!). Amigos me visitavam. Pessoas enviavam mensagens de texto com versículos das Escrituras ou apenas informavam que estavam pensando em mim. E também havia a comida — sim, comida. Um grupo de amigos da igreja preparou refeições para nós. (Experimentamos mais uma vez essa generosidade quando finalmente tivemos nosso primogênito, dois anos depois.)

Então, fiquei apavorada ao descobrir que estava grávida de novo. Cada sensação estranha em meu abdome disparava uma série de cenários imaginários em minha mente; em todos eles, eu ia parar no hospital e voltava para casa sem filho. Esperamos um pouco mais para contar aos amigos, mas logo quisemos que todos os nossos conhecidos orassem por nós. Sabíamos que não poderíamos lidar sozinhos com a dor e o sofrimento de outro aborto espontâneo.

Além de aprender que o Senhor suportou grande sofrimento, descobri que muitas outras mulheres sofreram abortos espontâneos, mas não falaram sobre eles. Elas começaram a me confortar com o consolo que receberam do Senhor.

Deus usou a igreja para ajudar a atender nossas necessidades físicas e espirituais. Não tivemos de perseverar sozinhos. Nós não teríamos conseguido.[5]

11
Cair e levantar-se

....

> Ainda que o justo tropece sete vezes, voltará a se levantar,
> mas uma só calamidade é suficiente para derrubar o perverso.
>
> PROVÉRBIOS 24.16

....

O rei Davi é uma das figuras mais conhecidas da Bíblia, além de Paulo e do próprio Jesus. Em sua juventude, Davi lutou contra o gigante Golias. Ele também é conhecido pela paciência que teve com o rei Saul e por sua amizade com Jônatas. Usamos a expressão "um homem segundo o coração de Deus" porque foi assim que o Senhor descreveu Davi (At 13.22). Esse rei era alguém a ser admirado e imitado. Era um homem de grande integridade... até que deixou de ser.

Assim como é popular pelo bem que fez, Davi também é conhecido por sua grande queda. Ele cobiçou a esposa de outro homem e a tomou como sua (2Sm 11.2-4). Não apenas pecou contra ela; ele a violou, mentiu sobre isso e, por fim, fez com que o marido dela fosse morto (2Sm 11.12-13; 12.9). Davi quebrou grande parte da lei de Deus ao cair em pecado dessa forma. Ele cobiçou, mentiu, cometeu adultério e assassinou.[1] Como alguém sobrevive depois de cair em desgraça desse jeito?

Um dos aspectos maravilhosos dessa história é a presença de Natã, um bom amigo de Davi, um amigo verdadeiro. Natã foi enviado por Deus para repreender Davi, primeiro apelando para sua consciência, por meio de uma parábola sobre um ato de injustiça inusitado (2Sm 12.1-5). Assim que Davi se mostrou indignado com o personagem da história de Natã, o profeta proclamou: "Você é esse homem!" (2Sm 12.7). Natã, então, revelou a acusação do Senhor contra Davi.

Essa cena me traz à mente Jesus conversando com a mulher samaritana, que, depois desse encontro, proclamou ao povo: "Venham ver um homem que me disse tudo que eu já fiz na vida" (Jo 4.29). Não podemos esconder nosso pecado de Deus. Ele sabe tudo e vê tudo. Davi esquecera que Deus sabia o que ele havia feito. Pode ser tentador esconder nosso pecado, mas isso é tão ruim quanto não conseguir enxergá-lo. Davi sabia que tinha feito algo errado; caso contrário, não teria mentido. Mas foi necessário que Natã lhe contasse tudo o que ele mesmo, Davi, fizera para que este enxergasse claramente a situação e se arrependesse.

Recebendo o perdão

Pela bondade de Deus para conosco, não somente lemos a história da queda de Davi, mas também podemos conhecer a riqueza de seu lamento quanto a essa derrocada. O salmo 51 foi escrito após a repreensão de Natã a Davi, que não apenas era rei como também salmista, tendo escrito muitos dos salmos que lemos hoje.

O salmo 51 não é só esclarecedor, como igualmente instrutivo. Davi clamou ao Senhor por misericórdia, apelando para o caráter do próprio Deus:

> Tem misericórdia de mim, ó Deus,
> por causa do teu amor.

> Por causa da tua grande compaixão,
> apaga as manchas de minha rebeldia.
>
> Salmos 51.1

Ele implorou para ser purificado de suas transgressões e reconheceu que, embora tivesse sido cometido contra outras pessoas, seu pecado fora, em última análise, contra Deus (Sl 51.4). Ao ler esse salmo, quase posso sentir a agonia e o intenso desejo por perdão. Davi estava arruinado, a ponto de dizer que seus ossos estavam quebrados. Era essa a profundidade de sua tristeza — até os ossos.

Deus perdoou o pecado de Davi (2Sm 12.13), o que é notável e até espantoso. Deus poderia tê-lo matado; poderia usar esse pecado contra ele para sempre. Em vez disso, Deus foi fiel ao seu caráter; foi misericordioso. A despeito do perdão divino, as consequências dos pecados de Davi permaneceram. O Senhor disse: "Contudo, uma vez que você demonstrou o mais absoluto desprezo pela palavra do SENHOR ao agir desse modo, seu filho morrerá" (2Sm 12.14). Mesmo assim, depois de tudo isso, vemos que Davi ainda adorou ao Senhor (2Sm 12.20).

Podemos aprender muito com a história de Davi. Quando leio sobre ele, vejo como se concentrou no arrependimento. Prestemos atenção ao modo como ele terminou sua corrida. Como vimos nessas passagens, Davi fez algo que poderia ser considerado imperdoável na cultura de hoje. Em meu país, condenamos pessoas à morte por cometerem assassinato e as colocamos na prisão pelo resto da vida por serem cúmplices de assassinato. O pecado merece punição, e é certo querer exercer justiça contra crimes. Talvez seja por isso que o fato de Davi ser perdoado parece ilógico e surpreendente. Será que alguém pode se recuperar de algo tão devastador? É possível viver uma vida que glorifique ao Senhor depois de comportar--se de modo tão vergonhoso?

Embora já tivesse sofrido muito, Davi teve uma vida difícil depois disso. Ainda assim, nunca deixou de adorar ao Senhor.

É fácil ler sobre esses acontecimentos nas Escrituras e separá-los de nossa própria vida. É mais fácil alegrar-se por Davi ter sido perdoado do que ver um amigo receber misericórdia por adultério. Nunca esquecerei o dia em que uma das minhas amigas mais queridas experimentou a traição do marido. A raiva que senti foi esmagadora. Cheia de fúria e presunção, eu queria causar danos físicos a ele em nome da minha amiga. "Como Deus poderia perdoar um homem desses?", pensei. Não é bom saber que Deus não é como nós?!

O que também devemos perceber é que, se viermos a nos envolver em enorme confusão, isso não precisa ser o fim da nossa história. Pode haver consequências por toda a vida, mas não quer dizer que, em nosso leito de morte, não possamos confessar Jesus. Não significa que não ouviremos as palavras "Muito bem!". Se a caminhada cristã implicasse nunca pecar, nenhum de nós ouviria essas duas palavras.

Esclarecendo: a graça não é uma desculpa para pecar. Deus conhece nosso coração e, como Paulo escreveu, não devemos pecar deliberadamente a fim de que a graça seja maior (Rm 6.1). Pelo contrário, nós nos empenhamos muito para terminar a corrida, submetendo-nos totalmente ao Senhor. Muitos cairão. O que você precisa saber é que é possível levantar-se de volta.

Você é uma cana quebrada?

Eu me pergunto se Davi poderia ser considerado uma cana quebrada. Ele era um abusador, adúltero e assassino — disso sabemos com certeza. Também era poderoso e igualmente forte. Além disso, sua concha externa e seu orgulho interno precisavam de refinamento. Ele ficou ferido, abatido e fragilizado depois que seu pecado foi revelado. E me questiono se isso não lhe causou alívio — sem mais fingimento, sem mais necessidade de se esconder, agora tudo a seu respeito estava exposto e revelado. Ele podia aceitar ser frágil, e isso era um presente.

A ideia de cana quebrada vem da profecia de Isaías sobre Jesus:

> Vejam meu servo, que eu fortaleço;
>   ele é meu escolhido, que me dá alegria.
> Pus sobre ele meu Espírito;
>   ele trará justiça às nações.
> Não gritará,
>   nem levantará a voz em público.
> Não esmagará a cana quebrada,
>   nem apagará a chama que já está fraca;
>   fará justiça a todos os injustiçados.
>
> Isaías 42.1-3

Há um contraste interessante aqui. Em seu contexto, Isaías está comparando a poderosa nação de Israel e seus governantes ímpios com a mansidão do Messias (Is 41.2,25). Mas também vemos um belo contraponto em Jesus. Ele é forte e fará justiça em toda a terra; ainda assim, é misericordioso e não esmagará a cana quebrada. Isso é um contraste, mas não uma contradição. Em sua bondade e graça, ele promove justiça, e em sua bondade e graça, é misericordioso para com os fracos.

A cana quebrada pode significar várias coisas, inclusive alguém que tenha sido abusado ou maltratado. Essa pessoa seria como uma planta frágil e delicada, prestes a se quebrar a qualquer momento. Uma cana quebrada é alguém que apresenta algum tipo de debilidade, como vemos em Mateus 12.9-21. Jesus curou um homem que tinha uma das mãos deformadas e, então, Mateus faz referência a Isaías 42. De qualquer maneira, uma cana quebrada é alguém que foi humilhado e tem o espírito contrito (Is 57.15).

Existe, nas Escrituras, outro personagem que era forte por fora, mas acabou desmoronando: Pedro.

Podemos estar familiarizados com a negação de Jesus por Pedro, mas são os detalhes desse episódio que me deixam cautelosa para não cair em tentação (1Co 10.12). Em Lucas 22.31-34, vemos que Jesus não apenas sabia que Pedro o negaria como orou para que este fosse fortalecido a fim de servir com mais fervor após a negação. Enquanto se dirigia à morte, Jesus orou pela fé vacilante de seu amigo, mesmo sabendo que este hesitaria. Também orou para que, uma vez arrependido, Pedro fosse usado para fortalecer seus irmãos. Jesus sabia que Pedro fracassaria; também sabia que, por causa da misericórdia de Deus, esse fracasso seria um catalisador que tornaria Pedro um líder da igreja.

Pedro, entretanto, estava confiante em sua própria força. Era impossível que negasse Jesus, pensou. Jamais abandonaria seu amigo. Esta é a cena:

> Então o Senhor disse: "Simão, Simão, Satanás pediu para peneirar cada um de vocês como trigo. Contudo, supliquei em oração por você, Simão, para que sua fé não vacile. Portanto, quando tiver se arrependido e voltado para mim, fortaleça seus irmãos".
>
> Pedro disse: "Senhor, estou pronto a ir para a prisão, e até a morrer ao seu lado".

> Jesus, porém, respondeu: "Pedro, vou lhe dizer uma coisa: hoje, antes que o galo cante, você negará três vezes que me conhece".
>
> Lucas 22.31-34

Como podemos ver nesse texto, Pedro pensou que estava pronto para ir à prisão por Jesus. Ele era forte. E também ficou horrorizado com a ideia de que seu Salvador e amigo pudesse pensar que ele cometeria traição.

Mas conhecemos a história: Pedro negou Jesus, não uma, não duas, mas três vezes (Lc 22.54-62). O único discípulo que havia ficado ao lado de Jesus manteve distância quando sua presença era essencial. Disse que não o conhecia. Afirmou não ser um dos Doze. Pedro mentiu. Falhou. Rejeitou Deus. Mas, sob doce misericórdia, Pedro mudou.

O fracasso não foi o fim da história de Pedro. Ele não negou Jesus e depois seguiu em frente; ele lamentou. Sabia que havia pecado. Sabia que havia feito exatamente o que Jesus disse que ele faria, mesmo que tivesse se recusado teimosamente a acreditar que aquilo era possível. Estava envergonhado e quebrantado por causa de seu pecado, condição essa que, por si só, é a própria misericórdia.

Se você ler o livro de Atos, perceberá rapidamente que Pedro era um homem transformado. Longe de ter medo, ele era um servo ousado que proclamava o evangelho diante dos opositores. Esse é o poder da misericórdia de Deus.

Davi e Pedro podem ser considerados canas esmagadas. Seus pecados foram revelados, e ambos se mostraram quebrantados e fracos. Vemos isso especialmente na leitura dos salmos de Davi. Que vergonhoso teria sido se esses homens nunca tivessem chegado a esse ponto de quebrantamento, vulnerabilidade e arrependimento.

Ferido, mas não derrotado

A cada dia precisamos lembrar ao nosso coração, sobretudo se cairmos em grave pecado, a seguinte verdade: Jesus não nos quebrará. Deixe-se guiar por essa verdade na direção da graça dele a fim de que você se arrependa. Deixe que essa verdade lhe permita encarar o dia de hoje com confiança, não em sua carne, mas em seu Salvador.

Jesus não está por aí querendo nos pegar. Há consequências para nosso pecado, mas, se colocarmos nossa fé na obra que Jesus Cristo completou, a ira dele não se derramará sobre nós. Não espere para se humilhar diante dele. Você pode confessar seu pecado e mudar agora mesmo. Não precisamos esperar que Deus nos humilhe; podemos nos humilhar à vista dele. Davi e Pedro mereciam ser feridos e esmagados por causa de seus pecados, mas Deus derramou misericórdia. Ele fará o mesmo por você.

Você? Sim, você. Quero que acredite nessa verdade mais do que em qualquer outra coisa. Mais importante: Deus quer que conheçamos essa verdade, por isso, em sua graça, ele a colocou em sua Palavra: "Se ele não poupou nem mesmo seu próprio Filho, mas o entregou por todos nós, acaso não nos dará todas as outras coisas?" (Rm 8.32). Em Romanos, lemos que Deus é por todos nós, e, se Deus é por nós, ninguém pode ser contra nós. Não devemos temer o julgamento e a ira de Deus em razão de nosso pecado. Não tendo poupado o próprio Filho, porque Deus negaria o perdão dos pecados pelos quais ele morreu? A condenação é absolutamente ridícula à luz do sacrifício de Jesus. Embora, às vezes, seja difícil acreditar que Deus perdoa, ele faz e fará isso. Deus convida você e eu a confessarmos, e ele fará o resto — removendo o pecado e a vergonha.

Maravilhosa graça

John Newton foi um pastor e escritor do século 18, famoso pelo belo e frequentemente entoado hino "Amazing Grace" [Maravilhosa graça]. Porém, em sua juventude, Newton foi um traficante de escravos impenitente. Teve uma criação tumultuada, perdendo a mãe muito cedo e saltando com o pai de navio em navio. Depois de uma série de circunstâncias difíceis, incluindo a falta de um teto e a necessidade de implorar por comida, Newton encontrou trabalho em navios que conduziam escravizados.

Em 1747, uma situação fatal se transformou em misericórdia. Enquanto navegava, a embarcação em que Newton trabalhava deparou com uma tempestade violenta. Apesar de não ser cristão, Newton havia lido obras de cristãos e também a Palavra de Deus. Por meio da tempestade, o Senhor o atraiu para si.

Newton continuou a trabalhar em navios de escravizados por um tempo e procurava tratá-los com dignidade. Ele logo perceberia que isso não era suficiente.

Após nove anos atuando no comércio de escravos, Newton começou a trabalhar como ministro do evangelho e, pouco depois, uniu forças com homens como William Wilberforce em campanhas pelo fim do comércio de escravos. Em 1747, Newton escreveu "Pensamentos sobre o comércio de escravizados africanos", no qual expressa desgosto consigo mesmo e com o comércio em que atuou: "Espero que sempre seja tema de reflexão humilhante para mim o fato de um dia eu ter sido instrumento ativo nas transações que agora fazem meu coração estremecer".[2]

Newton poderia ser considerado uma cana quebrada — quebrantado e contrito diante do Senhor e ansioso por corrigir os erros que cometeu nos muitos anos em que oprimiu pessoas feitas à imagem de Deus.

Em 1779, quase dez anos antes de escrever esse manifesto contra a escravidão, ele escreveu o hino "Amazing Grace". Talvez essa letra tivesse significado duplo:

> Maravilhosa graça! Como é doce o som
> Que salvou um miserável como eu!
> Eu estava perdido, mas agora me encontrei;
> Era cego, mas agora eu vejo.[3]

Ele estava perdido e sem Deus; no entanto, pela misericórdia e maravilhosa graça de nosso Senhor, recuperou a visão — salvação. Deus, que salva por completo, também sanou sua cegueira quanto à escravidão e o fez enxergar como ela era. Newton era um homem miserável, mas o Senhor o salvou e usou para grande benefício da igreja e do povo africano.

12
Em busca do prêmio

....

O homem que espera se retirar em breve terá a mente muito ocupada com o país para onde vai.

LEMUEL HAYNES

....

Antes de nos darmos conta, veremos nosso rei. Quem está prestes a morrer sabe bem disso. Minha amiga compartilhou comigo que, enquanto ela estava ao lado de seu jovem marido moribundo, ele lhe disse que gostaria que ela continuasse vivendo e aproveitando a vida, pois ele ficaria bem. Ele estava indo ao encontro de seu Criador. A sobrevivente do Holocausto Corrie ten Boom se identificava com esse sentimento e escreveu: "Você nunca aprenderá que Cristo é tudo de que você precisa até que Cristo seja tudo o que você tem".[1]

Neste último capítulo, espero que você e eu possamos contemplar a beleza do Senhor e fixar nossos olhos no país que está por vir. Mesmo que ainda não tenhamos aprendido que Cristo é tudo de que precisamos, podemos, agora mesmo, preparar nosso coração e nossa mente para a compreensão de que ele é, de fato, tudo o que temos. Cristo é a única coisa garantida e duradoura. Ele é eterno, assim como seu amor.

Olhando para o país que está por vir

Já examinamos a analogia na qual Paulo usa a figura de um atleta que disciplina seu corpo e vimos como devemos disciplinar nosso corpo para o Senhor, a saber, exercitando o autocontrole (1Co 9.24-25). Mas o que o apóstolo diz no versículo 26 dessa passagem bíblica é de extrema importância para nós enquanto perseveramos na corrida que nos é proposta: "Por isso não corro sem objetivo nem luto como quem dá golpes no ar". Há uma meta, um motivo e uma direção para nossa corrida. Tal como os atletas, miramos a linha de chegada e a recompensa. Cada passo importa. Se não nos lembrarmos de que há um propósito para nossa corrida, não terminaremos bem.

Paulo lembrou de si mesmo. Ele viveu uma vida de sofrimento; portanto, o incentivo que dirige a nós tem peso e validade. Paulo foi testado de maneiras que muitos de nós nunca teremos de suportar. Tiago também nos diz que somos abençoados por nossa perseverança: "Feliz é aquele que suporta com paciência as provações e tentações, porque depois receberá a coroa da vida que Deus prometeu àqueles que o amam" (Tg 1.12). A coroa da vida se parece com aquela concedida ao atleta ao final de uma corrida — a mesma recompensa mencionada em 1Coríntios 9.25.

A esta altura, está claro que, ao mesmo tempo que é prazeroso vivenciar uma caminhada digna do nosso chamado, também é bastante difícil. Assim, é importante ter à vista um lembrete acerca do prêmio pelo qual estamos nos empenhando.

Todavia, algumas pessoas têm dificuldade para se concentrar nas recompensas celestiais. Na opinião delas, essa parece uma motivação egoísta para participar da corrida que nos foi proposta. Certamente, porém, Deus não teria dito que receberíamos uma recompensa se não quisesse que esperássemos por ela. As recompensas representam a prova de que nosso trabalho e consistência não são em vão (1Co 15.58).

Então, qual é a recompensa que aguardamos ansiosamente?

Nesta vida, estamos sendo transformados de modo a nos assemelharmos cada vez mais a Cristo. Um dia, estaremos face a face com o nosso Salvador; sendo assim, avançamos em direção à meta de ganhar o prêmio. Parte desse prêmio, provavelmente a maior, será estar em perfeita comunhão com Jesus para sempre (Fp 3.14).

Nossos tesouros durarão para sempre; eles nunca se deteriorarão nem serão destruídos (Lc 12.33-34). Não teremos mais pecado: seremos glorificados, tornados absolutamente perfeitos (Rm 8.30). Não haverá mais sofrimento nem dor (Ap 21.4), não haverá mais perseverança. Não haverá necessidade deste livro ou de livros semelhantes. Louvado seja Deus! Haverá perfeita paz.

À medida que nos portamos de forma resoluta e perseverante hoje, o Espírito Santo transforma e refina nossa vontade, desejos e alegrias. No dia em que estivermos com nosso Senhor e Salvador, não será em razão do que fizemos, mas por causa da obra dele em nosso favor. Será nossa grande alegria — no porvir, como é hoje — honrá-lo e glorificá-lo com tudo o que temos.

Não sei quanto a você, mas isso é quase mais do que posso aguentar. Mal consigo esperar! Quando sei que as férias estão chegando, tento realizar o máximo de tarefas domésticas possíveis porque não gosto de voltar de viagem para uma casa desorganizada e suja. Quando sabemos que o verão está chegando, aumentamos a frequência de nossos treinos e exercícios. Quando estamos prestes a nos mudar para uma nova casa, é melhor não esperar até o último minuto para pensar nos detalhes e nas caixas (mas eu sei que talvez você espere).

Nós, cristãos, temos algo por que ansiar, algo pelo qual devemos sentir grande entusiasmo. Estamos na expectativa de um momento em que todas as tristezas serão eliminadas. Estamos na expectativa de um tempo em que o reino será consumado. Estamos na expectativa da unidade de todas as tribos, línguas e nações. Você consegue imaginar isso? Em nosso mundo fragmentado, é difícil vislumbrar essa realidade, mas é ela que aguardamos (Ap 7.9-11). Esperamos estar com o Senhor para sempre. Ao lembrar que esta terra não é nosso lar, que temos uma cidadania real no céu, instruímos nosso coração e nossa mente à medida que interagimos com o mundo ao nosso redor e perseveramos até o fim.

A boa espera

Então, nós aguardamos. Ficamos na expectativa.

O apóstolo Paulo soube esperar bem e, inspirado pelo Espírito Santo, nos dá uma noção de como podemos fazer o mesmo. A história desse apóstolo é contada e recontada, e por boas razões. Em sua juventude, ele aterrorizou a igreja, tendo descrito a si mesmo como um verdadeiro hebreu, fariseu, perseguidor da igreja e irrepreensível segundo a lei (Fp 3.1-6). Sua conversão lhe tirou o prestígio de que desfrutava entre os judeus, pelo que ele considerou tudo uma perda em face do valor insuperável de conhecer a Cristo (Fp 3.7). Paulo sofreu, foi preso e até caluniado na igreja. Mas isso não era nada quando comparado a ganhar a Cristo.

Fixar os olhos na eternidade nos ajuda a lutar pela alegria. Se não desanimarmos, podemos aproveitar o dia de hoje, pois o Senhor está próximo; este é o dia que ele fez. Sabemos que há uma eternidade perfeita, a qual devemos aguardar, e que os problemas atuais não terão a última palavra (2Co 4.16-18). E, mesmo tudo isso sendo verdadeiro, ainda podemos nos maravilhar com o que Deus tem realizado aqui, sabendo que, com o tempo, ele tornará novas todas as coisas. A eternidade tem tudo a ver com o deleite que vivenciamos agora.

Hoje temos vislumbres do céu, amostras da alegria eterna que vamos experimentar. Pense nas coisas de que você gosta; foi o Senhor quem possibilitou essa alegria e proveu essas boas dádivas (Tg 1.17). Desde aquela refeição deliciosa que é um prenúncio de como vamos banquetear no céu até aqueles momentos nos quais você deseja que o louvor não termine nunca mais — algo que experimentaremos em breve —, as amostras do paraíso sinalizam a bondade de Deus para conosco e podem nos ajudar a perseverar. O Senhor nos deu coisas boas.

Mesmo diante da certeza de que em nosso futuro há paz e alegria eternas, é difícil esperar e manter a eternidade em perspectiva. Independentemente da situação em que vivemos — riqueza ou pobreza, juventude ou velhice —, pode ser difícil fixar os olhos no que ainda está para ser visto. Uma possibilidade é praticar as quatro maneiras, descritas a seguir, de fixar os olhos diariamente na eternidade; elas impactarão o modo como vivemos hoje.

1. *Pregue o evangelho a você mesmo.* Ouvi isso ao longo dos anos, e é algo que se fixou em mim. Pregar o evangelho a si mesmo é fazer exatamente o que parece. Quando realizamos isso, trazemos à memória a verdade encontrada no evangelho. Precisamos lembrar que estamos travando uma batalha real contra o pecado e que existe grande perdão em Cristo. Precisamos lembrar que não há nenhuma condenação para aqueles que estão em Cristo Jesus. E precisamos lembrar que Jesus é o Rei ressuscitado que intercede por nós. Tudo o que Jesus realizou no evangelho nos liberta para desfrutar as boas dádivas de Deus. Quando esquecemos a verdade do evangelho — que

todas as coisas boas vêm do Pai —, frequentemente nos achamos imersos em culpa, condenação, legalismo e idolatria, os quais nos impedem de aproveitar a vida hoje enquanto esperamos nossa glória futura.

2. *Lute contra a idolatria.* Pode ser difícil identificar a idolatria até que algo aconteça com aquilo que mais valorizamos ou em que depositamos nossa esperança. Para alguns, a profissão é um ídolo que não apenas impede o prazer do descanso como também dificulta desfrutarmos a bênção do trabalho. Outros buscam esperança nos relacionamentos, o que significa que, se algo negativo afeta a relação, há desespero, raiva ou conflito. Sempre que começamos a adorar algo criado em vez de adorar o Criador, perdemos de vista o que é eterno e mais importante. Tudo nesta terra está se consumindo e não é digno de nossa adoração. Só Deus é digno de nossa adoração. Somente Deus proporcionará alegria, paz e amor perfeitos em todo tempo.

Até que nossa fé se torne vista, precisamos lutar contra a tentação de esquecer-nos de nosso Salvador e de voltar-nos para a adoração de coisas muito menores. Deus nos diz para não termos nenhum outro deus além dele. Quando vamos contra essa ordenança, perdemos nossa verdadeira alegria.

3. *Lembre-se do tempo.* Funcionamos em ciclos de 24 horas. Acordamos, trabalhamos, brincamos, comemos, vamos para a cama e começamos tudo de novo. O conceito de eternidade requer imaginação: é quase incompreensível e, certamente, misterioso. No entanto, viver é difícil e, embora nossa experiência de tempo revele que tudo tem um começo e um fim, a vida pode parecer uma eternidade. A Palavra de Deus traz conforto e clareza enquanto esperamos. Como Paulo escreveu: "Pois esta aflição momentânea está preparando para nós um peso eterno de glória além de qualquer comparação, visto que

não olhamos para as coisas que se veem, mas para as que não se veem" (2Co 4.17-18). As provações da vida, os fardos de hoje e os ciclos de 24 horas, que parecem estar em infinita repetição, são apenas momentâneos. Cada hora e cada aflição está nos preparando para algo maior: um peso eterno de glória. Lembre-se de que a eternidade existe e que nosso tempo aqui é fugaz — um ponto na grande história que está sendo escrita para a eternidade.

4. *Espere com entusiasmo.* Anseie pela redenção do corpo e por nossa união com o Salvador. Temos uma grande esperança que nos permite esperar com gratidão o que o Senhor tem preparado para nós. Nada se compara à perfeição do céu; nada chega perto dela. Nossa mente não consegue entender como será nunca mais lamentar ou chorar e, em lugar dessas coisas, deleitar-se e alegrar-se para sempre. E não haver mais pecado — sim! Seremos livres do pecado! A batalha diária que travamos contra a carne terminará. Fixemos os olhos no Senhor enquanto vislumbramos aquela boa dádiva que receberemos um dia: a vida eterna e a satisfação duradoura.

Quando sonho acordada com as glórias do céu, imagino-me dirigindo ao Senhor uma infinidade de perguntas sobre a Bíblia, assuntos que não entendi muito bem. Acho que ele vai esclarecer algumas de nossas controvérsias, e isso será maravilhoso! Vejo-me sentando à mesa, num banquete com pessoas de todas as tribos, línguas e nações. Grupos de pessoas que se odiavam jantarão juntas, e vou pedir a eles que me passem o salmão coberto por alcaparras, limão e endro, além das frutas recém-colhidas. Comerei pão com muita manteiga porque o colesterol será algo com que não precisaremos nos preocupar. Cumprimentarei aquele amigo que um dia foi inimigo, e depois conversarei com o apóstolo Paulo, porque é Paulo, ora essa! Não ficarei angustiada; estarei sempre alegre. Vou apenas me alegrar. Que maravilha!

Reserve um momento para imaginar essa realidade, e pense em como ela pode ajudá-lo a perseverar. Acho que o salmista imaginaria a beleza, a perfeição e o encanto de estar com Deus por toda a eternidade: "Tu me mostrarás o caminho da vida e me darás a alegria de tua presença e o prazer de viver contigo para sempre" (Sl 16.11).

Permita-se fazer o mesmo. Isso não é escapismo. É uma maneira boa e correta de enfocar aquilo em que devemos fixar os olhos diariamente (2Co 4.18). Desfrute disso. Regale-se nisso. Um dia, você e eu estaremos lá, e lá ficaremos por toda a eternidade. Deus está renovando todas as coisas, e tudo o que está errado e ruim voltará ao estado original. Vamos nos juntar a ele dizendo: "Isso é bom".

Para perseverar hoje, olhe para o Filho

Recentemente, compartilhei nas redes sociais um breve resumo de uma conversa que tive com minha mãe. Nesse universo das redes, o uso do termo *blessed* [abençoado] se transformou em anúncio de todas as coisas boas de que usufruímos — de férias a carros ou uma nova casa. Por vezes, toma a forma de uma *hashtag* cuja mensagem implícita é: "Estou vivendo o melhor momento da minha vida". Em outras palavras, tudo gira em torno de nós e de nossas conquistas materiais. Mas, de fato, esses presentes, que um dia desaparecerão, não têm a ver com o Senhor.

Abençoados são aqueles que vivem com Deus no céu (substantivo) e são santificados (adjetivo). Abençoado também pode significar "feliz". Mas, por enquanto, oro para que o que compartilhei nas redes sociais acerca da conversa com minha mãe incentive você a pensar em todas as bênçãos de Deus em sua vida (Sl 103). Minha mãe escreveu: "As pessoas falam sobre serem abençoadas, mas sei que sou abençoada". Ela passou pela experiência da morte da filha caçula, da filha mais velha e do marido. Possui apenas um rim e teve câncer. Ela conhece Jesus, e é por isso que proclama: "Sou abençoada".

A vida cristã pode ser vivida em vales e em topos de montanhas, mas nela caminhamos, principalmente, sobre planícies. A maior parte de nossos dias é dedicada a coisas triviais, comuns, rotineiras. Essa monotonia pode produzir complacência ou, ainda, resultar em apatia para com o Senhor. Deus pode se tornar mais uma coisa em nossa lista de tarefas em vez de ser o deleite e a alegria de nossa existência.

Você e eu somos propensos a esquecer o maior amor do mundo. Não podemos compreender ou imaginar esse amor em sua plenitude, mas, na prática, esquecemos que ele nos ama, que ele nos busca e que somos dele. Como Robert Robinson colocou em seu belo hino "Fonte és tu de toda bênção", "o meu ser é vacilante".[2]

A cada dia e a cada hora, devemos lutar para lembrar qual é o nosso maior amor no mundo. Uma maneira de combatermos a tentação de perambular em direção a coisas menos importantes e deixar de correr a corrida que nos é proposta é rememorar o amor e a busca por Deus. O amor e a busca de qualquer ser humano empalidecem quando comparados com o amor e a busca de Deus.

A busca de Deus por nós

Se há um oceano de graça disponível para nós — e há —, muito dele foi proclamado pelo apóstolo Paulo no início de Efésios.

No original grego, Efésios 1.3-14 corresponde a uma frase longa, e há um bom motivo para isso. Paulo estava surpreso com a bondade de Deus para com os pecadores. Não buscamos a Deus; foi ele quem nos buscou. E nunca seríamos capazes de imaginar, muito menos conquistar, as bênçãos espirituais que o Senhor nos concede: redenção por meio do sangue de Cristo, perdão dos pecados, adoção como filhos, amor eterno, uma herança imperecível, graça sobre graça, e muito mais.

Pelo menos sete vezes nesse trecho das Escrituras, Paulo fez referência à busca de Deus por nós. O louvor de abertura define o cenário: "Todo louvor seja a Deus, o Pai de nosso Senhor Jesus Cristo, que nos abençoou em Cristo com todas as bênçãos espirituais nos domínios celestiais" (Ef 1.3). Todas as promessas de Deus são "sim" e "amém" em Cristo (2Co 1.20). Deus só retém aquelas coisas que não se destinam ao seu bem absoluto.

Há apenas uma pessoa qualificada para nos dar acesso a essas bênçãos espirituais: Jesus Cristo. Paulo o mencionou pelo menos quinze vezes nos primeiros catorze versículos de Efésios. Mais adiante em Efésios, lembrou que a salvação não é obra nossa, mas um presente de Deus *em* Cristo Jesus (Ef 2.4-9). Em Cristo e por causa de Cristo, temos o dom da redenção e tudo o que acompanha essa dádiva maravilhosa. A realidade cósmica de nossa união com Cristo é digna de todos os nossos louvores.

Então, quais são essas bênçãos? Os versículos que sucedem Efésios 1.3 nos dão a resposta.

Deus nos *escolheu* antes de criar o mundo (Ef 1.4). Quando pensamos em uma montanha como o Everest ou em um mar como o Mediterrâneo, devemos juntar-nos ao salmista, que canta:

Quando olho para o céu
e contemplo a obra de teus dedos,
a lua e as estrelas que ali puseste,
pergunto:
Quem são os simples mortais,
para que penses neles?
Quem são os seres humanos,
para que com eles te importes?

Salmos 8.3-4

Deus pôs o mundo para funcionar. O céu proclama sua grandeza; a criação aponta para sua santidade. E, ainda assim, ele se preocupa com pessoas pecaminosas? Sim! Antes de criar os céus, ele escolheu você. Nosso santo, majestoso, maravilhoso Deus volta seus pensamentos para nós. Ele não se surpreendeu quando Adão e Eva pecaram. Ele sabia que, um dia, cairíamos e viveríamos em pecado diante dele. Mesmo assim, ele nos escolheu. O caráter de Deus é justo, santo e, ah, extremamente misericordioso.

Paulo prosseguiu escrevendo que Jesus também garantiu nossa retidão, e um dia seremos apresentados sem culpa diante do Pai (Ef 1.4). Jesus realizou algo que jamais poderíamos fazer por conta própria. Não ter culpa é ser isento de delito, de todo crime. Ninguém neste planeta é desprovido de culpa. Todos pecamos e não alcançamos o padrão da glória de Deus (Rm 3.23). E, no entanto, em Cristo somos de fato inculpáveis. Nossos pecados são perdoados e limpados. Em Cristo seremos apresentados sem culpa no dia final. Agora mesmo Jesus está intercedendo por nós. Somos cobertos por sua retidão.

Em Cristo somos infinitamente *amados*. Deus, em virtude de seu amor pelo ser humano, derrama sobre nós bênçãos espirituais. O amor de Deus é incompreensível; não conseguimos sondá-lo. Quando tentamos comparar nosso amor com o amor de Deus, constatamos quão terrivelmente aquém dele ficamos. Deus é amor (1Jo 4.8). Tudo o que sabemos sobre Deus e cada ação que vemos Deus realizar estão vinculados a seu amor. Deus não pode agir separadamente de seu amor.

A maior exibição do amor de Deus se dá pelo sangue de Cristo: "É nisto que consiste o amor: não em que tenhamos amado a Deus, mas em que ele nos amou e enviou seu Filho como sacrifício para o perdão de nossos pecados" (1Jo 4.10). Trata-se de um amor que jamais poderíamos entender por completo com nossa mente finita e nossa capacidade limitada de amar. O amor de Deus é incomparável, e está reservado para você em Cristo.

Deus poderia ter parado aí, mas não o fez. Se estamos em Cristo, somos também filhos e filhas *adotados* de Deus (Ef 1.5). Trata-se de uma adoção inquebrável (Rm 8.35-39). Como cristãos, somos filhos de Deus, herdeiros de tudo que é dele (Rm 8.32), e co-herdeiros com Cristo (Rm 8.16-17).

Antes da fundação do mundo, Deus nos tinha em mente e decidiu criar-nos e então adotar-nos como seus próprios filhos. Com ousadia, podemos nos aproximar de nosso Deus majestoso (Hb 4.16) como nosso *Aba* Pai (Rm 8.15). Nada é mais doce que saber que estamos sãos e salvos e somos amados por Deus de forma tão íntima. Em Cristo, temos acesso aberto a nosso todo-poderoso Pai celestial.

Mais do que podemos imaginar

As riquezas do que significa estar em Cristo são muito maiores do que qualquer coisa que poderíamos pedir ou imaginar. E nós só arranhamos a superfície! Deus nos escolheu, nos predestinou, nos adotou e nos encheu de toda graça e de uma herança que ultrapassa nossos pensamentos mais incríveis — tudo para o louvor de sua glória.

Quando tentados a pensar que devemos, de algum modo, ser bons o bastante para merecer o amor de Deus, necessitamos mergulhar em Efésios 1.3-14. Esses versículos contam uma história diferente — uma história *muito* melhor. O Deus do universo pensou em nós, nos criou, nos buscou, enviou seu Filho para morrer por nós, e nos perdoou. Nós não fazemos coisa alguma, tão somente *recebemos* isso.

Lembrar-nos dessas maravilhosas verdades nos ajuda a lutar pela perseverança que ele comprou para nós. Ele já prometeu concluir essa obra. Ele nos deu tudo de que precisamos, e muito mais.

Continue a correr a corrida à sua frente. Lembre-se do amor dele, que nos faz ansiar por conhecê-lo, amá-lo e obedecer-lhe, não por causa de algo que podemos conquistar, mas por causa de tudo o que ele já fez. Porque ele foi atrás de nós em primeiro lugar, podemos ir atrás dele com santa perseverança.[3]

APÊNDICE

E o que dizer daqueles que não perseveram até o fim?

....

Eu estaria prestando um desserviço caso não lidasse com o "elefante na sala". O fato é que alguns não perseverarão até o fim. Há quem proclame a Cristo hoje e que abandonará a fé, negará a existência de Deus e começará a acreditar em ensinamentos contrários ao conhecimento básico do Salvador. Alguns se perguntarão se tal pessoa de fato foi, em algum momento, uma cristã verdadeira. Não tendo como saber disso com certeza, voltaremos nosso foco para os úteis alertas presentes em Hebreus 5.11—6.12

O problema a respeito do qual escreve o escritor de Hebreus tem sido rotulado de apostasia, que é o abandono ou a renúncia da crença religiosa. O objetivo ao analisar essa passagem não é assustar-nos ou fazer com que duvidemos de nossa salvação, mas sim impedir que sejamos negligentes na fé e levar-nos a ter plena segurança.

Os leitores daquela época haviam se tornado insensíveis e morosos (Hb 5.11; 6.12). Eram imaturos na fé e, conforme explicou o escritor de Hebreus, careciam de leite, e não de alimento sólido. Comida sólida (isto é, ensinamento mais profundo) é para os maduros, e aqueles cristãos não estavam prontos para isso (Hb 6.12). Nos versículos anteriores, o autor estava procurando explicar o sacerdócio de Jesus. Sabendo que os leitores não entenderiam, fez uma pausa e inseriu a seção que agora exploraremos.

Não é que eles fossem intelectualmente inferiores; é que não queriam aprender. Basicamente, eram preguiçosos. Eram lentos na acepção mais evidente do termo. O texto diz que, àquela altura, já poderiam ser mestres, mas ainda precisavam reaprender verdades elementares. Embora não se explique o que exatamente estavam fazendo ou como o faziam, minha opinião é que a preguiça na fé talvez os tenha levado a se deixar seduzir por outros ensinamentos. Paulo advertiu os gálatas quanto à possibilidade de o abandonarem, ele que os chamou à graça de Cristo, e de se voltarem para um evangelho diferente (Gl 1.6-10). Também em Colossenses encontramos alertas de Paulo a respeito de se deixar cativar por filosofias e enganos vãos, de acordo com a tradição humana, e não de acordo com Cristo (Cl 2.8).

A questão em Hebreus não é alcançar o conhecimento de todas as coisas; jamais chegaremos a um ponto em que não teremos mais o que aprender. A questão é progredir e crescer. Em algum momento, deveríamos avançar da verdade simples em virtude de um desejo no coração de conhecer nosso Salvador. O escritor de Hebreus estava ensinando um entendimento mais profundo de Jesus como sumo sacerdote (Hb 5.1-10). Imagino que não fosse sua expectativa que os leitores compreendessem tudo; se assim o fosse, não precisaria ensinar! Suspeito, porém, que eles não tivessem entendido os procedimentos básicos da atuação de Jesus como o Grande Sumo Sacerdote (Hb 2.17; 4.14).

Não me parece ser o caso que eles precisassem entender, por exemplo, o contexto pleno de Gênesis 14, do Dia da Expiação, das ações dos sacerdotes levíticos — ao menos não tudo. Mas precisavam, sim, entender que Jesus era o sacrifício definitivo pelos pecados deles e nossos, que Jesus é superior a qualquer sacerdote, e que Jesus possibilitou o caminho para o Pai. A esperança é que entendessem essa verdade basilar e seguissem em frente com fé, visando o aprendizado gradual que leva à adoração e à devoção.

Esse conhecimento ajuda a nos prevenir do erro. O teólogo e professor Thomas Schreiner assim explica em seu comentário sobre Hebreus:

> A maturidade espiritual, ensina o autor, não depende fundamentalmente da habilidade intelectual. Não se correlaciona com a profundidade teológica nem com a capacidade de compreender verdades teológicas. Os leitores eram bebês espirituais porque não praticavam o que haviam aprendido. Precisavam ser instruídos nos aspectos básicos da fé porque não haviam progredido na maturidade espiritual.[1]

Constatamos a seriedade da questão em Hebreus 6.4-8, passagem interpretada de maneiras diversas. Muitos estudiosos bíblicos discordam do seu significado.

> Pois é impossível trazer de volta ao arrependimento aqueles que já foram iluminados, que já experimentaram as dádivas celestiais e se tornaram participantes do Espírito Santo, que provaram a bondade da palavra de Deus e os poderes do mundo por vir, e que depois se desviaram. Sim, é impossível trazê-los de volta ao arrependimento, pois, ao rejeitar o Filho de Deus, eles voltaram a pregá-lo na cruz, expondo-o à vergonha pública. Quando a terra absorve a chuva que cai e produz uma boa colheita para o lavrador, recebe a bênção de Deus. Mas, se a terra produz espinhos e ervas daninhas, para nada serve, sendo logo amaldiçoada e, por fim, queimada.

A confusão consiste em saber se aqueles aqui descritos eram ou não cristãos verdadeiros, visto que em algum momento foram "iluminados", "experimentaram as dádivas celestiais" e "se tornaram participantes do Espírito Santo". Tudo indica que são pessoas que conheciam Jesus. Mas, se é esse o caso, a frase "é impossível trazê-los de volta ao arrependimento" não parece sustentar-se diante de muito do que as Escrituras ensinam acerca da natureza do arrependimento (ver, p. ex., 1Jo 1.9). Em seguida, a menção de espinhos e ervas daninhas me leva a indagar se a regeneração chegou a ocorrer de fato. A impressão é de que dificilmente alguém assim tão endurecido teria sido em algum momento um cristão. Contudo, o que sei é que podemos sofrer a tentação de esquecer a verdade e abandoná-la. Portanto, embora possa haver alguma confusão aqui, o alerta permanece válido, e devemos tomar todo o cuidado para não cairmos (1Co 10.12).

Por que, afinal, essa questão é importante? Porque a ira de Deus é verdadeira, e precisamos de um temor saudável do Senhor. A ira de Deus não é irracional, impulsiva ou imoral. Como escreveu J. I. Packer em *Conhecimento de Deus*:

> O amor de Deus, conforme a Bíblia o vê, jamais o conduz a ações insensatas, impulsivas, imorais tal como frequentemente ocorre com sua contraparte humana. E, de igual modo, a ira de Deus na Bíblia jamais é aquela coisa caprichosa, indulgente, irritável, moralmente ignóbil que a ira humana tantas vezes é.[2]

A ira de Deus é um modo pelo qual Deus transmite ou administra sua justiça. Não é cruel; na realidade, é o justo julgamento de Deus (Rm 2.5-6). Acontece que não estamos habituados a pensar dessa forma. Não queremos ponderar sobre a ira de Deus. Queremos ignorar Romanos 1.18: "Assim, Deus mostra do céu sua ira contra todos que são pecadores e perversos, que por sua maldade impedem que a verdade seja conhecida". Por que Jesus, dirigindo-se à multidão, faria referência à "ira que está por vir" (Lc 3.7)? Aliás, por que afinal o Senhor incluiria a ira na Bíblia se não fosse algo que precisássemos conhecer e aprender, em conformidade com seu caráter? Deus é santo e justo, e o pecado não pode subsistir em sua presença. É por isso que dizemos: "Obrigado, Jesus". Ele satisfez a ira que merecíamos, pois é Jesus que nos livra da ira por vir (1Ts 1.10).

Packer acrescenta:

> Se queremos conhecer a Deus, é essencial que encaremos a verdade a respeito de sua ira, por mais fora de moda que ela pareça ser, e por maiores que sejam nossos preconceitos a respeito dela. Do contrário, não entenderemos o evangelho que nos salva da ira, nem a conquista propiciatória da cruz, nem a maravilha que é o amor redentor de Deus.[3]

À medida que refletimos sobre essa característica da ira de Deus, e à medida que crescemos no entendimento do que Jesus fez, não podemos fazer outra coisa que não prestar culto a Deus. A graça maravilhosa assume todo um novo significado quando consideramos o que essa graça custou. Nossa gratidão pelo perdão de Deus e pelo sacrifício dele se fortalece — e o mesmo se dá com nossa reverência. A ira de Deus é o que nos coloca em assombro e admiração diante de Deus e nos leva à obediência. E não obedecemos porque temos medo de Deus; obedecemos porque o amamos tanto que nossas ações de graça transbordam fazendo que nos submetamos a ele de bom grado.

Portanto, não precisamos viver com medo de apostasia! Mas, sim, precisamos prestar atenção às advertências.

Eis algumas questões para ajudar-nos a avaliar se estamos ou não nos desviando do caminho:

- Estou me afastando da verdade do evangelho?
- Estou mais interessado no mundo e em tudo o que ele tem a oferecer do que no Senhor?
- Sinto-me atraído por filosofias que se opõem às doutrinas básicas da fé cristã?
- Tenho me retraído de participar da igreja e de atividades relacionados à igreja e à vida cristã?

Se a resposta para alguma ou para todas as questões acima é "sim" e isso não o deixar alarmado, talvez você deva orar ao Senhor pedindo que lhe conceda anseio por ele. Também considere a ideia de se reunir com alguém que possa ouvi-lo e ajudá-lo a traçar um diagnóstico da batalha que você vem enfrentando.

É muito possível que, se você respondeu "sim" a alguma dessas questões, você não esteja satisfeito com a condição de sua alma ou de sua caminhada. Louve a Deus! Peça ajuda. Acredito, de coração, que a promessa que se encontra em Filipenses é verdadeira para todos os redimidos de Deus: "Tenho certeza de que aquele que começou a boa obra em vocês irá completá-la até o dia em que Cristo Jesus voltar" (Fp 1.6).

Questões para discussão

....

1. Chamados a correr

1. Você se lembra de alguma ocasião em sua vida em que uma provação ameaçava derrotá-lo? O que o ajudou a perseverar?
2. Trillia menciona que, na corrida da vida cristã, alternamos momentos de pouco esforço e momentos de exaustão. Em que parte da corrida você se encontra neste momento?
3. De qual verdade acerca de Deus você se sente mais tentado a duvidar em tempos de provação? Qual verdade mais o tem fortalecido?
4. Trillia fala da perseverança necessária para prosseguir na corrida. Ela diz também que não concluímos a corrida com nossas forças, mas na dependência absoluta do poder de Deus. Qual desses dois pensamentos você mais precisa manter em mente neste momento, e por quê?
5. Você se lembra de alguma história, no Antigo ou no Novo Testamento, que ilustra tanto a perseverança do povo de Deus como o poder de Deus para sustentar até o fim?

2. Jesus e a nuvem de testemunhas

1. Trillia escreveu a respeito da grande "nuvem de testemunhas" de Hebreus 12. Cite alguns aspectos em que o incentivo que nos dão são capazes de nos inspirar e nos

motivar. O que você teria a dizer àqueles que se sentem desanimados ao pensar em todas essas testemunhas?

2. Ao pensar na comparação entre um cristão e um atleta que precisa despir-se de tudo o que é desnecessário em favor da vitória, descreva uma ocasião em que você teve de livrar-se drasticamente de um pecado que o mantinha cativo.
3. Em 1Coríntios 10.13, é dito que Deus sempre providencia uma saída para fugirmos das tentações que surgem à nossa frente. Isso já aconteceu com você? E atualmente, há alguma tentação para a qual você tem procurado uma saída?
4. De que maneira a condenação já afetou seu crescimento espiritual? Qual é seu remédio favorito contra a condenação?
5. Consegue pensar em exemplos de pessoas que se juntaram à "nuvem de testemunhas" (seja da Bíblia ou de entes queridos que agora estão com o Senhor) e que mantiveram os olhos fixos em Jesus até o último momento? Explique como elas influenciaram sua fé e sua perseverança.

3. Motivos corretos

1. Hebreus 12.2 diz que Jesus perseverou e obedeceu em vista da alegria posta diante dele. Descreva alegrias específicas postas à sua frente que Deus usa para capacitar você a perseverar.
2. Trillia diz: "Correr pelas razões equivocadas também nos deixa esgotados, inclinados a desistir da corrida". Isso já aconteceu com você? Explique, se puder.
3. Como você discerne se os seus motivos estão voltados para a glória pessoal ou para a glória de Deus?
4. O que é útil/inútil para você quando lida com motivações erradas?

5. Paulo diz que é o amor de Cristo que nos impulsiona (2Co 5.14). Descreva uma ocasião em sua vida em que você viveu impulsionado por esse amor.

4. A verdadeira vida cristã

1. Você é mais propenso a cair nas armadilhas do evangelho da prosperidade, a ter temores supersticiosos ou a simplesmente descartar as promessas de Deus?
2. Pense nas ocasiões em que Deus fortaleceu sua vida de forma inimaginável. Esse fortalecimento se deu no meio do sofrimento?
3. Qual verdade você mais necessita ouvir neste momento: a de que o sofrimento nesta vida não é uma surpresa ou a de que Deus promete alegria e recompensa no sofrimento?
4. Que história, do Antigo ou do Novo Testamento, destaca, a seu ver, tanto a soberania de Deus como a bondade dele?
5. Trillia fala da importância de lamentarmos diante do sofrimento. Ela também diz que é fundamental enfrentarmos nossas adversidades confiando que Deus nos sustentará. Você se lembra de alguma ocasião em que você pôde tanto lamentar quanto, a certa altura (em meio ao lamento ou depois dele), agarrar-se às promessas divinas?

5. Nossa mente e a perseverança

1. Reflita a respeito de duas das maiores ameaças à perseverança mencionadas por Trillia: o cinismo e a complacência. Alguma delas parece ser uma ameaça atual para você? Como seria rumar para a direção oposta, isto é, para a fé?

2. Sabemos que seremos transformados pela renovação de nossa mente ao depositarmos nossa esperança nas promessas de Deus. Por qual promessa divina você e as pessoas em sua vida precisam ser renovados?
3. Quais são as "coisas do alto" nas quais você tem fixado sua mente e que o têm ajudado a perseverar na fé?
4. Você já experimentou alegria em meio ao sofrimento? Como foi?
5. Paulo entendia sua perda de prestígio na sociedade como um ganho porque preferia ter retidão mediante Cristo do que ações externas que impressionassem os outros. A exemplo de Paulo, você alguma vez perdeu algo que o mundo valoriza a fim de ganhar mais de Deus?

6. A sociedade e o mundo em que vivemos

1. Neste capítulo Trillia trata de diversas aflições que acometem o mundo e a sociedade. Qual delas mais afeta sua corrida nesta vida?
2. Qual é a sensação em sua vida quando você para por um instante de carregar seus fardos e leva cativo todos os seus pensamentos?
3. Do seu ponto de vista, como os ataques de Satanás podem se combinar com o pecado humano a fim de investir contra Deus e seu povo?
4. Como devemos, munidos do poder muitíssimo superior de Deus, contra-atacar Satanás, que ronda por aí buscando oportunidades de devorar?
5. Você consegue descrever uma ocasião em sua vida em que Deus foi refúgio e fortaleza em um período de dificuldade?

7. O coração necessita, a força provê

1. Em que ocasiões, a seu ver, o anseio por Deus surge naturalmente? E em que ocasiões isso mais se parece com uma luta?
2. Você já experimentou um desejo crescente por Deus à medida que pregou verdade e encorajamento à sua própria alma? Como foi?
3. Em que aspectos você tem consciência de que esteve/está permanecendo em Cristo?
4. Descreva uma ocasião em que você envidou esforços para se apegar a Cristo, mas depois percebeu que ele já o estava segurando firmemente.
5. O que é que você mais precisa pregar a si mesmo neste instante, minuto a minuto?

8. Avançando nas disciplinas práticas

1. Em 1Coríntios 9.25, Paulo menciona que ganharemos um prêmio imperecível quando nossa corrida chegar ao fim. Por quais prêmios perecíveis você se vê tentado a correr durante momentos de distração ou confusão?
2. Que área de sua vida hoje recebe sua maior atenção e disciplina? Descreva o resultado de sua devoção, de seu planejamento e de seu foco nessa questão. Como isso poderia servir de inspiração nas disciplinas espirituais?
3. Trillia diz que as disciplinas espirituais definitivamente não são "um meio de conquistar um assento à mesa do Senhor. Elas visam nos ajudar a terminar bem e desfrutar do Senhor". Há algum personagem nas Escrituras que correu a fim de concluir bem sua corrida e desfrutou do Senhor durante a jornada?

4. Em resposta ao chamado que este capítulo faz para uma vida de oração honesta e consistente, pondere sobre quais dessas duas atitudes é a mais difícil para você.
5. Compartilhe uma ocasião em que o jejum ou a solitude foi uma disciplina usada por Deus para preparar você ou para dar-lhe algo.

9. Quebrantado e contrito

1. Por que, a seu ver, a palavra "pecado" não é mencionada em alguns círculos cristãos? É, para você, uma palavra estranha sobre a qual conversar? Explique sua resposta.
2. De qual aspecto do caráter de Deus — sua poderosa soberania ou seu amor — você precisa ser mais relembrado neste momento?
3. Se já nos arrependemos de nossos pecados e agora vivemos para Deus, por que, em sua opinião, nos é pedido que continuemos a nos arrepender do pecado?
4. Você se lembra de alguma ocasião em sua vida em que o arrependimento lhe deu a sensação de caminhar com leveza conforme Deus removia o peso de suas costas?
5. Em que aspectos você é encorajado pela verdade de que somos feitos à imagem de Deus?

10. Não vá sozinho

1. Se você é membro regular de uma igreja, qual foi/é sua maior alegria na comunidade da fé?
2. Se Jesus amou a igreja a ponto de morrer por ela, como nós podemos também amar a igreja de forma prática?
3. O que impede você de buscar o discipulado?

4. Pense em alguma situação nas Escrituras ou em sua vida na qual o amor e o poder de Deus foram capazes de superar uma cisão que havia entre as pessoas.
5. Como podemos contribuir para tornar nossas igrejas mais semelhantes à família que Deus disse que deveríamos ser?

11. Cair e levantar-se

1. Por que, a seu ver, foi preciso que Natã interviesse antes que Davi se arrependesse?
2. Que mentiras circulam em sua cabeça quando você é tentado a não sair do chão?
3. Você se consideraria uma cana quebrada? Deus já usou o quebrantamento em sua vida em prol da beleza, como fez na vida de Davi e de Pedro?
4. Há consequências do pecado em sua vida que, a seu ver, eram a ira de Deus sobre você? Como altera o seu modo de pensar o fato de que, se você é cristão, a ira divina não se derramará sobre sua vida?
5. A condenação já o impediu de se levantar do meio da vergonha? Que verdades deveriam ser repetidas em sua mente a fim de combater os pensamentos de condenação?

12. Em busca do prêmio

1. Que parte de sua prometida recompensa celestial mais o empolga?
2. Trillia menciona quatro maneiras de ajudar-nos a fixar os olhos na eternidade: pregar a si mesmo o evangelho, combater a idolatria, lembrar-se do tempo e esperar com

entusiasmo. Qual deles mais fala a seu coração como ferramenta prática que você gostaria de adotar?

3. A visão que você tem do céu lhe dá perseverança? Explique sua resposta.
4. Você poderia compartilhar um testemunho (seu mesmo ou de algum ente querido) que tem consciência de todas as bênçãos do amor de Jesus, ainda que não se trate de "bênçãos" conforme o mundo define o termo?
5. As bênçãos de Deus no amor de Jesus incluem os quatro aspectos a seguir (apenas para os iniciados): somos escolhidos, somos declarados justos, somos amados, e somos adotados. Em qual bênção você mais precisa pensar neste exato momento?

Agradecimentos

Como você provavelmente deve saber, a maioria dos livros não existiria sem a contribuição de um grupo extraordinário de pessoas. E com *A corrida da fé* não foi diferente.

Em primeiro lugar, este livro é dedicado ao meu amigo mais maravilhoso e leal, que também é meu esposo. Thern: obrigada por segurar minha mão ao longo de todo o processo. Nos últimos anos, tivemos de aprender a atravessar várias provações, mas Deus foi fiel. Sua fé sólida e seu amor consistente é a âncora de que nossa família precisa. Seu amor por mim é algo que me impressiona diariamente. A cada dia que passa, sua companhia se torna mais especial. Amo você e amo viver com você.

Weston e Sydney, igualmente obrigada. Não consigo acreditar que sou mãe de vocês dois. Oro para que conheçam e amem a esse Deus que promete completar a boa obra que começou em vocês. Eu os amo muitíssimo.

Obrigada ao meu agente, Don Gates, que foi fonte de incentivo e apoio. Você é um presente! Obrigada ao meu incrível editor, Al Hsu, com quem fiz piada sobre minha necessidade de perseverar para concluir este livro. Agradeço sua paciência comigo e seu contínuo encorajamento e sabedoria em todo tempo. Sou grata à equipe de *marketing* e a todos que se empenharam em disponibilizar este livro àqueles que possam se beneficiar dele; em especial, agradeço a Christina Gilliland, Alisse Godsmith-Wissman, Krista Clayton e a todo o time da InterVarsity Press.

Obrigada ao pessoal da Comissão de Ética e Liberdade Religiosa da Convenção Batista do Sul, pessoas valiosas com quem trabalho e que sempre oferecem alento por meio da escrita. Agradeço a Andrew Walker, Randy Alcorn, Ray e Jani Ortlund, Tom e Linda Strode, Paul e Sandy Cochran, e a muitos outros que me autorizaram a compartilhar suas histórias neste livro ou em meu *site*. Obrigada a Chris Martin, amigo leal com quem tenho a liberdade de discutir assuntos ainda que ele trabalhe para outra editora. Melissa, Jen, Courtney, Kristie, Catherine, Jenn e diversos outros amigos maravilhosos — obrigada! Agradeço ao meu pastor, Jed — sou extremamente grata por sua vida.

Deus se mostrou muito fiel dando-me amigos e familiares que me ajudaram a disponibilizar este livro ao público. Assim é a perseverança: todos de mãos dadas. Obrigada por seguirem comigo.

Ao meu amado Senhor, obrigada por sempre se mostrar fiel a mim. És a razão da minha escrita, e oro para que ela te glorifique e te seja agradável.

Notas

Capítulo 1

[1] Clara Ward, "How I Got Over", 1951, interpretada por Mahalia Jackson, Apollo Records.

[2] Mahalia Jackson: The Queen of the Gospel, "Final Years", <www.mahaliajackson.us/biography/1969>.

[3] Thomas R. Schreiner e Ardel B. Caneday, *The Race Set Before Us: A Biblical Theology of Perseverance and Assurance* (Downers Grove, IL: InterVarsity Press, 2001), p. 40.

Capítulo 2

[1] Frederick W. Danker, Walter Bauer, William F. Arndt, e F. Wilbur Gingrich, *Greek-English Lexicon of the New Testament and Other Early Christian Literature*, 3ª. ed. (Chicago, IL: University of Chicago Press, 2000).

[2] "Ao dizer que 'estamos rodeados por tão grande nuvem de testemunhas', Paulo assume que os cristãos têm consciência da presença desses espectadores. A palavra aqui empregada como 'testemunha' (*martyr*) não costuma designar 'espectador'; apesar disso, a remissão a esse imaginário pressupõe tal sentido. Não obstante, a palavra escolhida pelo autor indica algo acerca dos espectadores. Estes não devem ser confundidos com aqueles cujo único interesse é o entretenimento. Essas testemunhas que assistem das arquibancadas são muito bem qualificadas para inspirar outras pessoas — elas comprovam a fidelidade de Deus, que as sustentou." Donald Guthrie, *Hebrews: An Introduction and Commentary*, Tyndale New Testament Commentaries (Downers Grove, IL: InterVarsity Press, 1983), p. 249-250.

[3] Precept Austin, "Hebrews 12 Resources", <www.preceptaustin.org/hebrews_12_resources>. Também, Desiring God, "Can Loved Ones in Heaven Look Down on Me?", <www.desiringgod.org/interviews/can-loved-ones-in-heaven-look-down-on-me>.

[4] O autor de Hebreus não revela seu nome nessa carta.

[5] Elder D. J. Ward, "Jesus Paid It All", Trillia Newbell, 7 de maio de 2017, <www.trillianewbell.com/tag/elder-d-j-ward/>.

[6] Philip Edgcumbe Hughes, *A Commentary on the Epistle to the Hebrews* (Charlotte, NC: William B. Eerdmans, 1977), p. 522
[7] Idem.

Capítulo 3
[1] Parte desse texto é uma adaptação de Trillia Newbell, "Sorrowful, Yet Always Rejoicing", Desiring God, 6 de dezembro de 2012, <www.desiringgod.org / articles / sorrowful-yet-always-rejoicing>.
[2] Parte desse texto é uma adaptação de Trillia Newbell, "Legalism or Love? Religious or Radical?", Desiring God, 22 de maio de 2013, <www.desiringgod.org / articles / legalism-or-love-religious-or-radical>.
[3] Parte desse texto é uma adaptação de Trillia Newbell, "Even Grace Can Lead to Legalism", Desiring God, 14 de junho de 2016, <www.desiringgod.org / articles / even-grace-can-lead-to-legalism>.

Capítulo 4
[1] Joni Eareckson Tada, *Joni* (Grand Rapids: Zondervan, 1976).
[2] Albert Y. Hsu, *Grieving a Suicide: A Loved One's Search For Comfort, Answers, And Hope* (Downers Grove, IL: InterVarsity Press, 2017), p. 48.
[3] C. S. Lewis, *Mere Christianity* (London: William Collins, 2017, 1944), p. 55-56.
[4] J. I. Packer, *Knowing God* (Downers Grove, IL: InterVarsity Press, 2001), p. 259.
[5] Randy Alcorn em entrevista a Trillia Newbell, 8 de maio de 2018.

Capítulo 5
[1] Allison Van Dusen, "Inside the Endurance Athlete's Mind", *Forbes*, 22 de setembro de 2008, <www.forbes.com / 2008 / 09 / 22 / endurance-race-training-forbeslife-cx_avd_0922sports.html#65b76f6f4711>.
[2] "How Does the Brain Work?", National Center for Biotechnology Information, <www.ncbi.nlm.nih.gov / books / NBK279302>.
[3] Oxford Living Dictionary, s. v. "cynicism", acesso em 5 de junho de 2019, <https: / / en.oxforddictionaries.com / definition / cynicism>.
[4] Marilynne Robinson, *The Death of Adam: Essays on Modern Thought* (New York: Picador, 2014), p. 78.
[5] Oxford Living Dictionary, s. v. "complacency", acesso em 5 de junho de 2019, <https: / / en.oxforddictionaries.com / definition / complacency>.
[6] Thomas Chalmers, "The Expulsive Power of a New Affection", Monergism, <www.monergism.com / thethreshold / sdg / Chalmers,%20Thomas%20-%20The%20Expulsive%20Power%20of%20a%20New%20Af.pdf>.

[7] R. C. Sproul. "Renewing Your Mind", Ligonier Ministres, <www.ligonier.org/lear/devotionals/renewing-your-mind/>.

Capítulo 6

[1] Compartilho mais da minha história em *United: Captured by God's Vision for Diversity* (Chicago: Moody, 2014).

[2] Parte desse trecho é uma adaptação de Trillia Newbell, "Fighting Our Fears with God-Given Faith", *Christianity Today*, <https://www.christianitytoday.com/edstetzer/2015/june/fighting-our-fears-with-god-given-faith.html>.

[3] Anthony J. Carter, *Blood Work: How the Blood of Christ Accomplishes Our Salvation* (Orlando, FL: Reformation Trust, 2013), p. 19.

[4] Trillia Newbell, "More than a Month Long", 6 de fevereiro de 2017, transcrição de entrevista com John Perkins, <www.trillianewbell.com/2017/02/06/more-than-a-month-long>.

[5] John Perkins, *One Blood: Parting Words to the Church on Race* (Chicago: Moody, 2018).

Capítulo 7

[1] Parte desse trecho é uma adaptação de Trillia Newbell, "Learning to Abide", Desiring God, 10 de junho de 2014, <www.desiringgod.org/articles/learning-to-abide-in-christ>.

[2] Sister Kelly, "Proud of the 'Ole Time' Religion", em Milton C. Sernett (ed.), *African American Religious History* (Durham, NC: Duke University Press, 1999), p. 73.

Capítulo 8

[1] Robert Weisman, "Most Americans Still Do Not Work Out Enough", *Boston Globe*, 14 de abril de 2013, <www.bostonglobe.com/business/2013/04/13/exercise-goals-are-increasing-but-most-americans-still-not-work-out-enough/3P6M8aLmTxQNTeZtynhglM/story.html>.

[2] Esse trecho é uma adaptação de Trillia Newbell, "The Spiritual Gift of Physical Exercise", *Christianity Today*, 5 de outubro de 2015, <www.christianitytoday.com/women/2015/october/spiritual-gift-of-physical-exercise.html>.

[3] Conrab Mbewe, *Foundations for the Flock: Truths About the Church for All the Saints* (Hannibal, MO: Granted Ministries Press, 2011), Kindle pos. 389.

Capítulo 9

[1] Augustine, *Confessions*, trad. Henry Chadwick (Oxford: Oxford University Press, 2009), p. 32.

Capítulo 10

[1] Esse trecho é uma adaptação de Trillia Newbell, "When You Don't Love the Church", *Tabletalk Magazine*, 4 de setembro de 2017, <https://tabletalkmagazine.com/posts/2017/09/dont-love-church>.

[2] Parte desse trecho é uma adaptação de Trillia Newbell, "Three Benefits of Discipleship", Desiring God, 13 de fevereiro de 2014, <www.desiringgod.org/articles/three-benefits-of-discipleship>.

[3] Parte desse trecho é uma adaptação de Trillia Newbell, "Why Accountability Matters", Desiring God, 19 de março de 2013, <www.desiringgod.org/articles/why-accountability-matters>.

[4] Natasha Sistrunk Robinson, *A Sojourner's Truth: Choosing Freedom and Courage in a Divided World* (Downers Grove, IL: InterVarsity Press, 2018), p. 133.

[5] Parte desse trecho foi extraída de Trillia Newbell, "How Miscarriage Led to My Crisis of Faith", *Christianity Today*, 8 de abril de 2015, <www.christianitytoday.com/ct/2015/april-web-only/losing-baby-not-losing-my-faith.html>.

Capítulo 11

[1] Pode-se argumentar que Davi estuprou Bate-Seba, algo que tem sido cada vez mais aceito como a interpretação adequada desse texto, embora não seja sustentada por todos os estudiosos.

[2] John Newton, "Thoughts upon the African Slave Trade", Bible Study Tools, <www.biblestudytools.com/classics/newton-posthumous-works/thoughts-upon-the-african-slave-trade.html>.

[3] John Newton, "Amazing Grace", Hymnal.net, <www.hymnal.net/en/hymn/h/313>.

Capítulo 12

[1] Corrie ten Boom, *The Hiding Place* (Minneapolis: Chosen, 1971).

[2] Robert Robinson, "Come Thou Fount", Hymnal.net, <www.hymnal.net/en/hymn/h/319>.

[3] Parte desse trecho foi adaptado de Trillia Newbell, "The Breathtaking Love We Tend to Forget", Desiring God, 7 de fevereiro de 2019, <www.desiringgod.org/articles/the-breathtaking-love-we-tend-to-forget>.

Apêndice

[1] Thomas R. Schreiner, *Biblical Theology for Christian Proclamation: Commentary on Hebrews* (Nashville, TN: Holman Reference, 2015), p. 173.

[2] J. I. Packer, *Knowing God*, (Downers Grove, IL: InterVarsity Press, 2001), p. 151.

[3] Idem, p. 156.

Compartilhe suas impressões de leitura,
mencionando o título da obra, pelo e-mail
opiniao-do-leitor@mundocristao.com.br
ou por nossas redes sociais

Esta obra foi composta com tipografia Palatino
e impressa em papel Pólen Soft 70 g/m^2 na gráfica Imprensa da fé